Les Éditions du Boréal
4447, rue Saint-Denis
Montréal (Québec) H2J 2L2
www.editionsboreal.qc.ca

PETITES
DIFFICULTÉS
D'EXISTENCE

DU MÊME AUTEUR

Sans jamais parler du vent, Éditions d'Acadie, 1983.

Film d'amour et de dépendance, Éditions d'Acadie, 1984.

Histoire de la maison qui brûle, Éditions d'Acadie, 1985.

Variations en B et K, La Nouvelle Barre du jour, 1985.

L'Été avant la mort (en collaboration avec Hélène Harbec), Éditions du Remue-ménage, 1986.

La Beauté de l'affaire, La Nouvelle Barre du jour/Éditions d'Acadie, 1991.

La Vraie Vie, Éditions de l'Hexagone/Éditions d'Acadie, 1993.

1953. Chronique d'une naissance annoncée, Éditions d'Acadie, 1995.

Pas pire, Éditions d'Acadie, 1998 ; Éditions du Boréal, coll. « Boréal compact », 2002.

Un fin passage, Éditions du Boréal, 2001.

Pour sûr, Éditions du Boréal, 2011 ; coll. « Boréal compact », 2013.

France Daigle

PETITES
DIFFICULTÉS
D'EXISTENCE

roman

Boréal

Les Éditions du Boréal reconnaissent l'aide financière du gouvernement du Canada
par l'entremise du Fonds du livre du Canada (FLC) pour leurs activités d'édition
et remercient le Conseil des arts du Canada pour son soutien financier.

Les Éditions du Boréal sont inscrites au Programme d'aide aux entreprises du livre
et de l'édition spécialisée de la SODEC et bénéficient du programme de crédit
d'impôt pour l'édition de livres du gouvernement du Québec.

L'auteur remercie le Conseil des Arts du Canada et la Direction des arts
du Nouveau-Brunswick pour leur soutien financier à l'écriture de ce livre.

Merci aussi à Gérald Leblanc pour son aimable autorisation de reproduire
des extraits de son recueil *Je n'en connais pas la fin*, publié
aux Éditions Perce-Neige en 1999.

Diffusion au Canada : Dimedia
Diffusion et distribution en Europe : Interforum

Données de catalogage avant publication (Canada)
Daigle, France
    Petites difficultés d'existence
    ISBN 978-2-7646-0194-5
    I. Titre.
PS8557.A423P47   2002   C843'.54   C2002-941483-0
PS9557.A423P47   2002
PQ3919.2.D34P47   2002

21. Gruger et mordre au travers

Carmen tourne et retourne la note dans sa main. Elle peut aisément lire le message à l'envers, l'encre du stylo feutre ayant traversé l'épaisseur du papier. *J'ai décidé de t'aimer à mort.* Elle relit les mots à l'endroit, reste agacée par leur romantisme exacerbé. Puis elle remet la note dans sa poche, sans prendre soin de la replier. L'idée qu'une personne puisse décider d'aimer lui collera à l'esprit pendant toute la journée.

* * *

Terry a pris l'habitude de consulter le Yi King pendant un moment tranquille de la journée, entre deux virées sur la rivière. Sur une étagère de la cabine de pilotage du *Beausoleil-Broussard* — un des bateaux-mouches qui ont presque réussi à faire aimer la Petitcodiac —, il a fait de la place pour son pot de billes et ses quatre livres d'interprétation, trois en anglais et un en français. Il est particulièrement fier de son manuel français, cadeau de Carmen, acheté à Paris même.

Terry aime prendre son temps pour consulter l'oracle, lire l'interprétation que donne chaque livre des forces en puissance au moment où il se livre à l'exercice de divination. Chacun des livres a d'ailleurs un ton particulier et Terry aime s'enrichir de toutes ces nuances.

— Moi, je dirais que t'es un intellectuel.

— Moi? Un intellectuel?

Zed accompagne parfois Terry sur son bateau.

— Quelqu'un qui lit quatre livres sus le même sujet est un intellectuel. Ça peut pas faire autre. Un sujet abstrait, je veux dire.

Terry est bien obligé de réfléchir à ce que vient de déclarer son ami.

— Tout' dépend de quoi c'est que tu fais avec, je crois ben.

Zed tripote un des cordages purement décoratifs du bateau.

— Même si tu fais rien avec, tu peux être un intellectuel pareil. C'est dans ta tête pareil.

Terry ne sait pas trop par où commencer son explication.

— Neinnn. Un intellectuel, faut que ça parle. Ça peut pas yinque penser. Pis *anyways*, c'est quasiment la seule manière que le monde peut saouère qui c'qui l'est pis qui c'qui l'est pas.

Zed étudie l'horizon pendant un moment avant de répondre :

— Tant qu'à moi, ç'a rien à voir avec parler.

* * *

Ce soir-là, Carmen ne put résister à la tentation de demander l'opinion de Jocelyne, que tout le monde appelle Josse. Cette collègue de travail n'est pas une amie proche — Carmen ne la connaît pas depuis très longtemps —, mais elle a les idées claires et son franc-parler. Elle la trouva en train de griller une cigarette dans le dépôt, là où l'on entasse l'équipement de billard endommagé ou carrément à jeter, l'ultime refuge des employés.

— Crois-tu que c'est possible de décider d'aimer quelqu'un à mort ?

— ?!?

Carmen craignait d'avoir ruiné la pause-nicotine de sa partenaire de salle.

Josse exhala une bouffée.

— Répète ouère ça ?

Carmen ne put deviner si le fait d'avoir à répéter la question était de bon ou de mauvais augure.

— Crois-tu que ça se peut, dé-ci-der d'aimer quelqu'un à mort ?

Josse inhala encore un peu de fumée, l'expira.

— Décider d'aimer ?

Elle prit le temps d'aspirer et d'expirer une autre bouffée avant de répondre, ce qui, pour Carmen, représentait une réponse en soi.

— Je croirais que c'est de quoi que tu peux décider. Ben faudrait pas qu'une personne s'entête.

— …

— …

— Tant qu'à moi, décider d'aimer quelqu'un à mort, ça ressemble pas mal à de l'entêtement.

Après une dernière expiration, Josse conclut :

— Y'a pire. Y'en a qui s'entêtont à mort.

* * *

Après avoir lu l'introduction de chacun de ses livres sur le Yi King, Terry avait définitivement adopté la méthode des billes pour consulter l'oracle. L'un des exposés — pas celui en français, avait-il noté — était beaucoup plus étoffé que les trois autres au sujet des procédés de divination. Cette lecture avait fini par le convaincre que les pièces chinoises percées d'un trou carré au milieu — dont Carmen lui avait fait cadeau en même temps que du livre de Paris — n'étaient pas les plus appropriées. De plus, elles étaient trop grosses ; elles n'avaient pas suffisamment d'espace, lorsque Terry les secouait dans ses mains, pour bouger librement et exprimer chacune leur énergie propre. Le Yi King devant servir à indiquer la Voie, Terry avait jugé que sa voie serait entravée au départ par ce manque d'espace et opté pour la formule des billes. Cette méthode, qui faisait appel à seize billes de quatre différentes couleurs, avait été l'objet d'observations savantes et constituait un compromis entre le rituel nécessitant cinquante tiges d'achillée —? — et un autre procédé, plus simple et rapide, n'exigeant que trois cents noirs ordinaires.

— Ça fait que, si ça te fait rien, je vas le faire avec les *marbles*.

Ensuite, Terry avait sorti de sa poche les pièces chinoises qu'il avait enfilées sur un cordon de cuir et il les avait passées par-dessus sa tête pour les porter autour du cou.

— Comme ça, je pourrai jamais oublier que c'est toi qui m'as donné le Yi King.

— Ben, tu connaissais ça avant.

— Oui, ben pas comme asteure. Ça vient de toi, crois-moi.

Carmen s'était d'autant plus facilement laissé convaincre qu'elle trouvait Terry divinement beau avec ce cordon noir autour du cou et ses pièces chinoises entremêlées à la petite touffe de poils clair-semés sur sa poitrine.

* * *

Zed avait l'habitude de se rendre au café tous les jours.

— Je marchais sus la traque après-midi, pis j'ai vu le derrière de la bâtisse qui voulont défaire sus la rue Church.

Il y avait longtemps que le jeune homme attablé avec Zed n'avait pas croisé quelqu'un qui venait de marcher le long d'une voie ferrée. Pendant une seconde ou deux il n'avait pu garder son habituelle indifférence à tout ce qui se disait autour de lui.

— Pis?

— Ça ferait des beaux *lofts*.

— Ça coûterait une fortune, tu veux dire.

Zed était normalement d'humeur plutôt accommodante, mais certaines attitudes avaient le don de l'irriter.

— Non, j'ai dit ça que je voulais dire, que ça ferait des beaux *lofts*…

Puis, en déposant quelques pièces sur la table pour payer son café, il se ravisa, reconjugua son verbe.

— Ça fera des beaux *lofts*.

L'autre regarda Zed s'en aller, pas mécontent au fond de l'avoir piqué.

En retournant chez lui, Zed refit le parcours de la voie ferrée en sens inverse et se sentit encore plus sûr de lui. Il décida alors une fois pour toutes qu'il n'avait plus d'enthousiasme à perdre.

* * *

Au lieu de l'éclairer, Josse n'a fait qu'ajouter un peu de confusion à ce qu'éprouve Carmen, maintenant plus ou moins obligée de voir Terry sous un autre jour. Lorsqu'elle l'a rencontré, elle l'a trouvé mignon et réservé, presque innocent.

Mais depuis quelque temps, au moindre virage, elle découvre en lui une force nouvelle, ou, du moins, inattendue. De là à ce qu'il décide de l'aimer… C'est le mot « décider » qui l'inquiète. Ne peut-il pas l'aimer tout simplement ? Ne l'a-t-il pas aimée tout simplement ? Pour elle-même ? En dehors de tout le reste ? Qu'est-ce qu'une décision vient faire là-dedans ? Et la soirée va-t-elle finir enfin ! Carmen regarde l'heure. Elle a hâte de rentrer, de se retrouver seule dans la tranquillité, à regarder Terry et le bébé endormis ensemble sur le divan du salon, comme cela arrive souvent lorsqu'elle travaille jusqu'à la fermeture.

* * *

Terry commence à tourner un peu en rond. Tout est fait, même les couches sont pliées. Carmen a insisté pour qu'ils utilisent des couches en coton par souci de l'environnement, et il ne s'y est pas opposé, même s'il doutait des bienfaits réels de cette décision. Quant à l'appartement, il est aussi ordonné que possible même s'il paraît encore encombré à cause du fatras d'accessoires pour bébé.

Le petit dort paisiblement. Terry, télécommande en main, fait la tournée des chaînes une fois, puis recommence, mais rien ne l'intéresse vraiment. Il éteint, se lève, va regarder par la fenêtre, se gratte le dos de son mieux, revient s'asseoir, empoigne sa guitare, cherche de nouveau cet accord insaisissable, perplexe à l'idée que le reste de l'arrangement est pourtant si simple.

* * *

Ce soir-là, étendu sur son lit, Zed imagine que la section arrière du bâtiment — une espèce de plate-forme de chargement recouverte d'un toit — abritera parfaitement un petit marché de fermiers, tandis que l'avant, qui donne sur la rue, sera idéal pour des boutiques. Il restera les deux étages supérieurs pour les lofts. Quant à l'espace de stationnement, il n'y en aura peut-être pas tout à fait assez, mais c'est mieux que trop. Zed en a marre des grandes aires de stationnement à ciel ouvert qui créent du vide partout. Il est grand temps, selon lui, de se coincer un peu, d'obliger les gens à se côtoyer, à se parler.

* * *

21. Gruger et mordre au travers, persister malgré l'obstacle qui empêche les mâchoires de se refermer tout à fait. La vérité est voilée, agir avec détermination la fera éclater. Tenter de voir les choses autrement, re-imaginer.

Terry a ramené ses Yi King à la maison cet après-midi même, vu qu'il ne lui reste plus que quelques jours de travail au parc de la Petitcodiac. En fin de compte, après avoir déposé sa guitare, l'accord problématique lui échappant toujours, il a consulté l'oracle sans question précise en tête, aspirant seulement à un exposé général de la situation.

Seul le premier trait de l'hexagramme était muable, tous les autres étaient au repos. Cela amenait le 35, c'est-à-dire un progrès, à condition de rompre avec des concepts figés, le concept de plaisir, par exemple, ainsi que celui qui porte sur le rôle des partenaires dans un couple.

50. Le chaudron

— Zed veut faire ça?

— Y'a déjà commencé.

Cela faisait des lunes que Terry et Carmen n'avaient pas eu le temps de se parler en tête-à-tête. Terry passa le saladier.

— Y'essaye de convaincre du monde qu'a de l'argent.

— Comme?

— Lionel Arsenault.

— Lionel Arsenault? Pis? Ça va-ti marcher?

— Ben, y'a pas dit oui, ben y'a pas dit non non plus.

Carmen prit la première bouchée de son steak.

— Mmm.

— …

— Mm-mmm.

— Pas pire, ein?

Terry savait faire cuire un steak.

— Ça fait que… quoi c'que t'en penses?

Carmen avala sa bouchée, but une gorgée de vin. Même le vin lui parut particulièrement savoureux. Elle regarda l'étiquette sur la bouteille.

— Je me souvenais pas que ce vin-là était si bon que ça.

Elle entama ensuite sa pomme de terre au four recouverte de beurre et de crème sure.

— Y dit que ça sera pas si cher que ça.

— C'est-ti pas dur à chauffer des places de même ? Je veux pas geler, moi.

Terry trouvait lui aussi que tout avait bon goût. Et le petit qui dormait en plus, un vrai festin !

— Moi non plus je veux pas geler tant qu'à ça. Ben trouves-tu pas que ça commence à être petit icitte ? On n'a quasiment pas de place pour marcher.

Carmen savait que Terry avait raison. Elle prit une autre gorgée de vin.

— Mmm. Y'est vraiment bon !

Terry prit ce soupir de contentement comme un compliment personnel. Il se félicita intérieurement d'avoir eu l'idée d'inaugurer les trois jours de congé de Carmen par ce repas spécial. Lui-même ne travaillait plus depuis une semaine. Cela leur avait permis de prendre un peu d'avance, de mettre de l'ordre dans l'appartement et même de faire la sieste l'après-midi, avant que Carmen ne parte travailler.

— Je doute que Lionel Arsenault mette de l'argent là-dedans si y'a pas d'argent à faire.

— En tout cas, Zed est pas mal convaincu. Y m'a presque convaincu moi-même.

— Je vois ça.

* * *

— Tu ferais ça ?

Sylvia, la femme de Lionel Arsenault, connaissait bien son mari. Elle savait que, lorsqu'il lui parlait d'un projet, sa décision d'aller de l'avant était déjà aux trois quarts prise.

— Y'a juste de quoi que j'ai aimé dans ce gars-là. Je serais curieux de voir comment loin que ça pourrait aller.

Sylvia avala une bouchée de saumon. Elle ne préparait jamais que du poisson le vendredi. Une superstition, au fond.

— Depuis que tu vas prendre ton café chez Joe Moka, me semble que t'es plus… t'es moins…

Lionel Arsenault éclata de rire.

— Tu veux dire que les artistes commençont à déteindre sus moi ?

Était-ce ainsi que l'art frayait son chemin par détrempe ? Par frottement ?

— On dirait.

Il était plus détendu aussi. Sylvia croyait que c'était relié au fait qu'il avançait en âge. Mais peut-être était-ce vrai que, avec l'âge, l'art et la vie ne font qu'un. Elle avait lu ça dans un magazine quelque part.

— En tout cas, ça serait bien que d'autre monde profite de tout' c't'argent-là.

Lionel Arsenault acquiesça, avala sa bouchée.

Zed habitait encore chez ses parents. Ce soir-là, un oncle et une tante s'étaient joints à la famille pour le souper.

— Pis, Zed, quoi c'que tu fais de bon?

Il pouvait s'agir d'une question piège, mais cette fois Zed était prêt.

— Justement, je travaille sus de quoi. Je peux pas trop en parler pour asteure.

Zed n'avait qu'à dire un mot pour raviver l'admiration apparemment inconditionnelle de ses deux petites sœurs, qui gigotaient de plaisir sur leur chaise. Pour sa part, comme Zed pouvait s'y attendre, son père ajouta sa note de scepticisme à la réaction de surprise et de curiosité que sa réponse avait éveillée.

— Zed pense comme un artiste. C'est pas de sa faute.

Les deux petites se mirent à glousser. C'était leur façon de se réjouir pour Zed que les choses ne soient pas de sa faute. Mais le regard désapprobateur de leur mère les rappela à l'ordre.

— Si c'est une faute...

La tante Annette n'aimait pas que les jeunes soient constamment mis sur la sellette. Elle poursuivit donc la défense de son neveu:

— Y'a des affaires qui prenont du temps. Faut donner le temps.

Pendant les secondes qui suivirent, on n'entendit plus que les bruits habituels d'une tablée acadienne autour d'un fricot.

— Y'en reste en masse… Georges… Annette…?

Puis Zed dégela la situation.

— Qu'est-ce vous faites de soir? Allez-vous jouer aux cartes?

Et la mère retrouva sa bonne humeur.

— Ça c'est une idée! Ça serait d'la *fun* une petite soirée de Deux-Cents.

* * *

50. *Le chaudron. Les choses vont plutôt bien, se déploient selon l'ordre naturel, tout comme les flammes lèchent le bois. Au foyer, un repas rituel, sacrificiel. Votre vie intérieure vous amène à considérer l'aspect matériel de la vie avec détente. Le deuxième trait, muable, conduit à l'hexagramme 56, le voyageur: le nomadisme prend fin lorsqu'on trouve un bon endroit où vivre.*

* * *

— Tant qu'à ça, on peut ben rester icitte encore un bout' de temps même si c'est petit. C'est pas si pire que ça. C'est juste que Zed a sitant l'air de croire que ça va marcher.

Carmen aime bien Zed. Et cela lui plaît que lui et Terry soient de bons amis.

— Ben, y veut pas trop en parler. Y veut faire ça à sa manière.

Une autre chose tracasse Terry.

— Y'a de quoi d'autre que je voulais te dire...

Carmen aime ce genre de petit suspense.

— L'autre jour, j'ai fumé une cigarette avec lui.

Carmen a deux raisons d'être surprise. D'abord, Terry et elle ont cessé de fumer il y a presque un an. Ensuite :

— Zed fume? Depuis quand?

— Non, y fume pas. C'est juste qu'y'avait trouvé un paquet avec deux cigarettes dedans. C'était comme une *joke* de les fumer.

Carmen met quelques secondes à digérer l'aveu, puis imagine Terry et Zed — probablement sur le bord du bateau — en train de commettre ce petit délit.

— A l'était-ti bonne?

— Ben, oui pis non.

— ...

— ...

— Ça t'a-ti donné envie d'en fumer d'autres?

Terry réfléchit un moment avant de répondre.

— Pas vraiment. Ben, tu sais comment c'que c'est...

Le fait que Carmen n'ait pas mal réagi le rassure.

— C'est pas trop grave, ein?

Carmen trouve que l'anecdote a quelque chose de comique, mais elle ne veut tout de même pas que Terry s'en sorte trop facilement.

— C'est toi qui sais.

* * *

— Tu sors pas?

La mère de Zed avait poussé la porte entrouverte et vu Zed étendu sur son lit.

— J'irai peut-être au Doc's.

La mère trouvait étrange que son fils soit encore à la maison à cette heure-là. Elle craignait qu'il ait été contrarié par les propos échangés durant le souper.

— Qui c'qui gagne?

— Y'a juste Annette qui a eu des cartes pour la peine jusqu'asteure.

Il y eut un petit silence. La mère ne savait pas tout à fait comment jauger l'état d'esprit de son fils.

— On dirait que j'ai encore faim.

La mère fut soulagée.

— Y reste du pâté aux fraises. Va t'en prendre avant que ton oncle tombe dedans.

Zed se leva de bonne humeur.

— Bonne idée.

La mère constata de nouveau à quel point son fils était incapable de rancune. Elle lui aurait parfois donné raison d'en éprouver.

* * *

Terry ne savait pas trop quoi dire. Carmen le prenait de court.

— Quoi? Trouves-tu que ça sonne comme... intellectuel?

Carmen ne voulait pas refroidir l'ambiance de leur petite soirée en tête-à-tête, mais l'histoire de la cigarette fumée avec Zed l'avait mise sur la piste. Elle jugea à propos de tout tirer au clair et revint donc sur la note de Terry disant qu'il avait décidé de l'aimer à mort. Intellectuel? Elle prit un moment pour y penser.

— Ben... peut-être.

— ...

— C'est quoi un intellectuel, vraiment?

— Ben, ça serait quelqu'un qui pense beaucoup, pis qui le laisse à saouère.

Cette réponse n'éclaira pas beaucoup Carmen.

— Nomme-z-en ouère...

— Ben, je sais pas moi... Je croirais qu'Hermé en serait un.

— ...

— ...

— Dirais-tu que Pete Melanson en est un?

— Pete Melanson? En tout cas, y voudrait en être un, ça c'est sûr.

— ...

— ...

Terry revint au point de départ.

— Moi je trouvais que c'était une belle note. C'était beau dans ma tête quante je l'écrivais.

— Dans ta tête?…

Et voilà! Justement le mot qu'il ne fallait pas dire.

— O.K., O.K., j'ai compris.

Et il ajouta en riant:

— La prochaine fois, je t'achèterai des roses.

* * *

Cette nuit-là, Sylvia rêva qu'elle se promenait à Saint-Germain coiffée d'un panama et fumant de petits cigares qui laissaient dans l'air une odeur d'épices et de chocolat. C'était comme si elle venait de coucher avec Pavarotti et qu'elle en était ressortie avec de l'amour à revendre. Les passants qui la croisaient s'arrêtaient, le nez aguiché par la petite fumée bleutée enchanteresse qui s'effilochait au-dessus de leur tête. Le panama, lui, s'en allait en se dandinant mine de rien, tout comme maintenant les hanches de Sylvia contre la cuisse de son mari endormi.

17. La suite

Zed profita du retard de l'agent immobilier pour expliquer sa stratégie à Lionel Arsenault.

— C'est mieux qu'on parle pas trop de quoi c'qu'on veut faire en avant de lui. Ça nous donnera peut-être meilleure chance de faire baisser le prix.

Ils marchèrent tous deux autour de l'entrepôt moyennement délabré. Des débris de bois et de ferraille jonchaient le terrain environnant.

— Au commencement, c'est les artistes qui avont eu l'idée de vivre dans ces places-là. C'était des bâtisses abandonnées, ça fait qu'y'avions ça pour presque rien. Souvent c'était même contre la loi. Y *squattiont*, pour dire le vrai. Y'aviont besoin de place pour faire leurs peintures pis d'autres affaires de même. Ç'a commencé à Berlin, pis après ç'a venu à New York. Ben l'idée vient vraiment de Paris, des artistes qui viviont dans les attiques au siècle passé.

Ces informations contribuèrent à maintenir la bonne impression que Lionel Arsenault avait de Zed.

— L'idée serait de juste rendre la bâtisse…
comme… *functional*. On aurait pas besoin de finir le
dedans de chaque *loft*. Pour ça, ça serait à chacun de
s'arranger. Ben, pareil, ça veut dire électricité, chauf-
fage, remplacer des châssis.

— De la plomberie.

— De la plomberie.

Les couleurs de la façade devant laquelle se trouvaient maintenant Zed et Lionel Arsenault étaient
bizarrement découpées.

— Icitte y'avont défait une rallonge. Ça c'était la
couleur des murs en dedans. Ça serait bien de garder
que'que chose de ça, c'est comme beau.

Lionel Arsenault essaya de voir la beauté que Zed
voyait.

— L'autre affaire avec des *lofts*, c'est qu'on peut —
même qu'on devrait, le plusse possible — aller chercher
du vieux matériel, des affaires comme laissées là. Abandonnées. Ben pas pour tout'. Là encore, ça dépend…

— …

— Faut que ça faise du bon sens. Ça prendra
beaucoup d'idées. Faudrait prendre le temps de juste
ramasser des idées, parler à du monde, des charpentiers, des architectes. Regarder alentour, voir quoi c'qui
traîne. Y'a des affaires qu'on pourrait avoir pour quasiment rien.

Une voiture arriva sur le terrain. L'agent immobilier en sortit, marcha jusqu'aux deux hommes, leur
tendit la main :

— *Sorry I'm late.*

*　*　*

L'après-midi, lorsque Carmen était à la maison, Terry en profitait pour aller boire un café au centre-ville. Au fond, le café comme tel le laissait plutôt indifférent, mais il aimait retrouver des amis et prendre de leurs nouvelles.

Ce jour-là, Terry s'assit à la table de Lisa-Mélanie.

— Ben si c'est pas Lisa-M.! Comment ça va?

Lisa-Mélanie, qui était étudiante en musique — et que certains persistaient à appeler Lisa-Minnelli même si elle ne ressemblait pas du tout à l'originale —, aimait bien la façon qu'avait trouvée Terry de raccourcir son nom.

— *Hi*, Terry!

Ils parlèrent de choses et d'autres, puis :

— Je sais pas quoi c'qui se passe dernièrement… chaque fois que je me brosse les dents on dirait que j'ai envie de vomir. Je sais pas si c'est la *toothpaste* ou quoi…

Terry ne manquait pas de sens pratique.

— As-tu changé de *brand*?

— Non.

Terry essaya d'imaginer la situation.

— Comme, ton cœur lève pis tout'?

Lisa-M. hocha la tête.

— Faut même que je fasse attention de pas trop brosser par au fond.

— …

— …

35

— C'est peut-être le *drain*…

— Le *drain*?

— Y'a beaucoup de filles qui aimont pas ce trou-là.

— Vraiment? J'ai jamais entendu ça.

Terry haussa les épaules. Il n'allait pas en faire toute une histoire.

— Comment c'que t'aime ça à l'université?

Lisa-M. balança la tête d'un côté et de l'autre.

— J'ai hâte à Nouël. Je vas au Mexique avec Pierre pis Antoine. Pomme aussi, *I hope*. Si y peut trouver de l'argent. L'oncle à Pierre a un condo à Puerto Vallarta, ben y s'en vient pour Nouël, ça fait qu'y prête son condo à Pierre.

Terry trouvait le quatuor quelque peu incongru mais il ne s'attarda pas à cette impression. Il était possible que ce ne soit qu'un projet lancé comme ça dans l'air du temps.

— Comment c'qu'est Carmen? Ça fait longtemps que je l'ai pas vue.

— Pas pire.

— A travaille-ti encore sus Dooly's?

— Un-hun. A l'aimerait que le *manager* s'en alle… pour prendre sa place.

— A l'est smarte assez pour ça.

— …

— Pis le petit Étienne? Y'est assez *cute*.

— Y'a des dents asteure.

— Awh! Encore plusse *cute*…

Ils parlèrent encore de choses et d'autres, puis Terry s'en alla. En fin de compte, il était ressorti du café sans avoir été servi, donc sans avoir eu à débourser. Cela faisait son affaire, car chaque cent comptait pour deux lorsqu'il était en chômage.

* * *

Zed était content de pouvoir enfin annoncer quelque chose à ses parents.

— Comment sérieux qu'y'est?

— Ben, y'est prêt à faire une offre.

Les deux petites sœurs cherchaient une raison de rire mais n'en trouvaient pas.

— Toi, quoi c'que tu ferais là-dedans?

— Ben, c'est moi qui va mettre ça ensemble. Trouver des idées, du matériel, du monde pour travailler. Du monde pour acheter... ou louer, on n'a pas décidé encore.

Là-dessus, les deux petites crurent avoir trouvé prétexte pour pouffer. Et elles pouffèrent.

De son côté, le père continuait à exprimer des doutes.

— La ville voudra jamais.

— Moi je crois qu'on peut les convaincre. Je veux dire, ça fait yinque du bon sens.

La mère regardait son fils avec admiration.

— Quand c'est que tu commences?

— Y dit qu'y va me payer à partir de lundi.

C'était une bonne nouvelle, mais la mère demeurait curieuse.

— Lundi passé, ou lundi prochain ?

Zed haussa les épaules.

— D'une manière ou de l'autre…

Mais le père, lui, ne lâchait pas prise :

— Deux cent cinquante piasses par semaine, c'est pas sitant que ça.

— Moi je trouve que c'est parfait. Plusse que parfait. Surtout que je finirai probablement par avoir une place à rester.

La mère eut un pincement au cœur. Elle craignait d'apprendre que Zed n'était pas vraiment heureux à la maison.

Pour son bénéfice à elle, mais sans trop croire que cela suffirait à la rassurer, Zed ajouta :

— Une place à moi, je veux dire.

Les petites sœurs pouffèrent à nouveau. Zed se tourna vers elles :

— Viendrez-vous me visiter ?

Et elles de répondre en chœur :

— Ouuiii !

* * *

17. *La suite, incontournable, apporte le succès, le profit. Perspicacité. Le champ est libre. La relation avec l'autre — amour, loyauté, ouverture d'esprit, réciprocité, complicité — est très importante. Mieux vaut abandonner un projet insensé s'il est source de conflit*

amoureux. Le fait de prendre soin de quelqu'un entraîne nécessairement la suite. Muable, le cinquième trait mène à l'hexagramme 51, le tonnerre. Courage, une secousse imprévue suscite d'abord la peur, puis le rire et la joie. L'énergie se renouvelle, la vie et l'amour aussi.

* * *

Après avoir fait ses calculs, Pomme ramassa le téléphone.

— Lisa?

— *Hi*, Pomme!

— Ça va marcher.

— Tu vas venir? Fiou!

— André m'a finalement donné l'argent qu'y me doivait. Quand c'est qu'on achète nos billets?

— As-tu parlé à Pierre pis Antoine?

— Non, pas encore.

— O.K. Je vas les appeler. On pourra peut-être faire ça lundi.

— Je crois pas que je pourrai lundi. Je suis supposé de travailler toute la journée si y mouille pas. Pi y'est pas supposé de mouiller.

— Ben, on peut acheter le tien pareil. Qu'est-ce tu fais de soir?

— Je sais pas encore. Zed est supposé de m'appeler.

— Nous autres on va à l'Osmose.

— Hum… Je sais pas si ça me tente. Qui c'est qui DJ?

— Je crois que c'est Bosse.

— Josse? A travaille-ti pus sus Dooly's?

— Pas Josse. Bosse.

— Awh. Non, je crois pas que j'irai.

* * *

Ce soir-là, dans la chambre, la mère de Zed ne put se contenir, même si elle détestait s'aventurer sur ce terrain dangereux.

— Me semble que tu y donnes pas de chance.

— …

— Tu vois pas qu'y se débrouille?

Le père de Zed soupira. Sa femme n'avait pas tort, mais quelque chose l'empêchait de croire tout à fait au projet de son fils.

— C'est des rêveurs.

— Lionel Arsenault un rêveur? En tout cas, moi je trouve qu'y s'est bien débrouillé avec ses rêves, si c'est ça…

Le mari était bien en peine de répondre. Sa femme poursuivit.

— Je veux pas te tanner avec ça, ben tu sais comment c'que t'as tout le temps dit que ton père vous encourageait pas, qu'y'était pas là pour vous autres.

Ben, on dirait que tu fais exactement la même chose avec Zed…

Elle ne savait pas s'il valait mieux en rester là ou continuer, rouvrir une vieille blessure. Les mots coulèrent malgré elle.

— Je sais que c'est pas ton enfant naturel, pis que vous êtes pas faits pareil, ben me semble que ç'allait mieux. Lui aussi, ça y demande un effort, vois-tu pas ça?

L'homme n'avait pas la force, ou pas le goût, de se défendre.

— En tout cas, moi je trouve qu'y'est vraiment smarte d'avoir fait ça… pis je trouve qu'y faut l'encourager.

Pensant avoir fini de parler, elle ajouta pourtant, sur un ton plutôt enjoué :

— Même que je trouve ça excitant, ce projet-là! Je serais vraiment fière que ça marche.

* * *

Carmen estimait que le patron avait été vraiment injuste avec Josse. Cela la mettait en colère de le voir user de son pouvoir de cette façon. Après tout, ce n'était pas de la faute de Josse si son ami d'enfance était décédé.

— *Asshole…*

— Quoi c'qu'y t'a dit?

41

— Que je manquais trop souvent.

Carmen s'attendait un peu à cette réponse. Mais elle avait aussi remarqué que Josse faisait des efforts.

— T'es moins pire dernièrement.

— C'est ça que je croyais aussi.

— …

— Je *care* pas. J'y vas pareil.

Les funérailles auraient lieu le lendemain soir.

Son quart de travail venait de finir et Josse n'arrivait pas à enlever son tablier assez vite pour quitter les lieux. Elle tourna le dos à Carmen.

— Peux-tu dénouquer ça que je hale ma marde d'icitte?

Carmen s'exécuta.

— Je vas y parler, asseyer d'y'expliquer.

— Fais quoi c'que tu veux, ben si je perds ma job à cause de lui, ça finira pas là… le crisse!

Un peu plus tard, pendant une accalmie dans la salle, Carmen tenta de raisonner le gérant.

— Je sais que c'est pas de mes affaires, ben on aurait pu s'arranger sans Josse demain. Billy était prêt à la remplacer.

— T'as raison. C'est pas de tes affaires.

Carmen trouvait que cet homme avait quelque chose d'horripilant, mais elle poursuivit quand même :

— Ça fait un mois qu'a l'a presque pas manqué, pis a travaille ben. Me semble que…

— Y'en a icitte qui pensont que c'est aisé de *runner* une *business*. Josse a été trop loin, ça fait que j'ai mis le pied à terre. C'est pas plusse compliqué que ça.

— Ben, c'est pas de sa faute si ce gars-là a décidé de mourir asteure. Ç'arrive de même.

— Avec Josse, y'a tout le temps de quoi qui arrive. Faut que ç'arrête.

Carmen bouillonnait à l'intérieur. Le gérant était aussi entêté qu'elle le craignait. Entêté à mort.

12. La stagnation

‾‾‾‾‾‾‾‾‾

‾‾‾‾‾‾‾‾‾

‾‾‾‾‾‾‾‾‾

‾‾   ‾‾

‾‾   ‾‾

‾‾   ‾‾

— Qu'est-ce tu dirais qu'on *skip* Nouël?

— *Skipper* Nouël?!?! T'es pas ben!

Carmen n'était pas tout à fait réveillée, luttait encore contre le sommeil.

— Je veux dire qu'on devrait commencer notre propre Nouël, à la place de courir dans ta famille pis après ma famille. On est notre *own* famille asteure, non?

Pour toute réponse, Carmen se tourna vers Terry dans le lit. C'était une porte entrouverte, il s'y glissa.

— On pourrait inviter du monde, faire un souper…

Au fond, Carmen ne détestait pas l'idée. Mais la chose lui paraissait pratiquement impossible.

— Ma mère mourrait.

— Moi je crois que ta mère comprendrait, asteure qu'on a Étienne…

— C'est justement ça! Asteure qu'y a Étienne, je crois qu'a voudra encore plusse nous voir.

— On ira pareil… même si c'est pas juste le jour de Nouël…

Carmen avait maintenant l'impression de faire un mauvais rêve.

— Le premier Nouël d'Étienne encore de plusse!...

— O.K., O.K., oublie ça. C'était yinque une idée.

*　*　*

Zed est sidéré d'occuper la place que Lionel Arsenault lui a faite dans sa compagnie. Il y a bien sûr ce petit bureau avec ordinateur et téléphone et tout, mais il y a aussi le fait que les autres employés le traitent comme un égal.

— Zed, je viens t'expliquer pour les billets de loterie. Je ramasse l'argent au commencement de chaque mois. T'es pas obligé, ben tout le monde icitte en achète, même Lionel. Ça coûte dix piasses par mois. Quand on gagne yinque des petits montants, on laisse l'argent dans le potte.

Zed apprécie aussi le fait d'être libre de ses allées et venues, car pour réaliser son projet il lui faut trouver de l'inspiration un peu partout, parler à toutes sortes de gens, traîner dans des lieux où l'on ne traîne pas d'habitude.

— Quoi c'que vous allez faire avec ces vieux panneaux-là?

— Ça va à la *dump*. À cause? Les veux-tu?

Zed avait songé à s'acheter une petite voiture d'occasion pour ses nombreux déplacements, mais en fin de compte il est tombé sur un vieux camion qui lui est maintenant fort utile.

— R'tchule ton troque icitte.

Puis :

— Ça va nous sauver un voyage à la *dump*... en plusse qu'y faut qu'on paye pour se débarrasser asteure.

Et à la fin, immanquablement :

— C'te vieille bâtisse-là? A l'a d'l'air parée à débouler!

* * *

Au café :

— J'ai trouvé un nom pour le projet à Zed...

Terry n'aimait pas trop parler avec ce gars plutôt sinistre qui avait la manie de dénigrer tout un chacun, mais parfois il était bien obligé de l'écouter.

— Ça devrait s'appeler *Loft in Space*.

Même si Terry trouvait le jeu de mots plutôt drôle, il savait qu'au fond son interlocuteur se moquait et de Zed, qu'il estimait utopiste, et de son projet, qu'il croyait irréalisable.

— Je crois pas qu'y'aimerait un nom anglais.

— Tu veux dire que Zed est pogné dans c't'histoire-là lui aussi?

— Je dis que je crois pas qu'y'aimerait que le nom seille yinque anglais.

— Ben, déjà, juste le mot *loft* c'est anglais…

Terry haussa les épaules. Il ne pouvait pas se battre contre un tel argument.

— …

— *Anyways,* c'est probablement yinque des Français qui allont rester là. Avec une couple d'Anglais mêlés parmi. Comme à Aberdeen.

Le type était plutôt d'accord, mais il n'avait pas encore craché tout son fiel.

— Je suis assez tanné de c't'histoire-là d'Anglais-Français. C'est chavirant. Ça nous oblige tout le temps à être d'un bord ou de l'autre.

Terry haussa les épaules à nouveau :

— C'est de même que c'est. Y'a pas grand-chose qu'on peut faire.

Puis il regarda ailleurs, une manière de faire comprendre à son vis-à-vis qu'il n'avait pas envie de poursuivre cette conversation.

— Pareil, moi je dis que c'est exagéré.

* * *

Le congédiement de Josse, qui s'était portée malade pour assister aux funérailles de son ami de jeunesse, avait eu des rebondissements. D'abord, lorsqu'ils apprirent son renvoi, tous les employés de la salle de billard enfilèrent leur manteau et sortirent dans la rue. Carmen était très fière de cette solidarité.

— Je savais pas qu'on était sitant proches que ça. Tout le monde a sa vie. Ça prenait de quoi qui faisait juste pas de bon sens pour nous amener ensemble. C'est là que tu vois que le monde a le cœur à la bonne place.

En plus de revenir sur sa décision, le gérant avait accepté de former un comité qui s'occuperait d'établir des conditions de travail équitables pour tous les employés. Mais Carmen, elle, voyait plus loin.

— Y'était obligé d'accepter, ben y toffera pas.

Elle se préparait donc plus activement à lui succéder.

— Personne devrait être forcé de travailler deux fins de semaine de suite. Pis faudrait organiser de quoi pour les jeunes pis les vieux.

— Les vieux?

— À cause pas? Trois quarts du temps c'est vide l'après-midi.

— Pis qu'est-ce tu ferais avec les jeunes?

— Je sais pas exactement, ben quelqu'un m'a dit que ça pourrait être comme un cours de maths, avec les angles pis tout'.

* * *

Zed trouva deux enveloppes cachetées sur son bureau. Il en ouvrit une. C'était son premier chèque de paye. Quand il ouvrit la deuxième, il se dit qu'il y

avait une erreur. Il alla trouver la secrétaire adminis-
trative et lui montra les deux chèques.

— Je comprends pas. Y'en a un qui serait ma paye,
ben l'autre…

— C'est monsieur Arsenault qui nous a dit de
faire ça. Je pensais que tu savais à cause.

Zed haussa les épaules. Il ne comprenait pas non
plus ce qui faisait que les employés appelaient Lionel
Arsenault tantôt par son simple prénom, tantôt
monsieur Arsenault.

— Ben, va y demander. Y'est icitte aujourd'hui.

Zed se dirigea vers le bureau de Lionel Arsenault,
frappa doucement sur le cadre de la porte entrouverte.

— Zed! Rentre! Comment ça va?

— Bien! Bien!

Zed fut lui-même surpris de s'entendre répondre
avec autant d'enthousiasme. C'était comme si la
confiance du patron était contagieuse. Aussi voulut-il
faire vite — pour ne pas accaparer inutilement
l'homme d'affaires —, mais monsieur Arsenault
semblait avoir envie de bavarder.

— Pis? Ç'avance-ti?

— Ç'avance. Je commence à mettre des morceaux
ensemble. J'aurai plusse de quoi à vous montrer dans
une semaine ou deux.

— Je me fie à toi.

Zed montra les deux chèques.

— Ta première paye?

— Oui, ben…

— L'autre, disons que c'est un cadeau de ma femme.

Zed n'y comprenait rien.

— T'as-tu pas acheté un troque?

— Oui… ben…

— Comment c'qu'y t'a coûté?

Zed était un peu gêné. Il n'était pas sûr d'avoir fait une bonne affaire car la mécanique automobile n'était pas son fort. Il eut peur que Lionel Arsenault s'en rende compte et le juge moins compétent à cause de cela.

— Deux mille sept cents. Je crois que c'était raisonnable. J'étais comme pressé…

Lionel Arsenault haussa les épaules.

— Moi, je connais rien là-dedans. C'est ma femme qui achète nos chars.

Zed fut soulagé. Lionel Arsenault enchaîna :

— Ma femme — Sylvia — connaît ben ta tante Annette.

— Awh oui?

— Y'ont parlé de toi l'autre jour. Ça fait que l'autre chèque, c'est pour le troque.

Zed ne savait que penser.

— Je me fiais de le payer moi-même. Je vous aurais pas demandé ça.

— Je sais. T'as rien demandé non plus. Quante ma femme a de quoi dans la tête… Pis vraiment, c'est *fair*.

Lionel Arsenault attendit quelques secondes, le temps que se dissipe l'embarras de Zed, puis :

— Y'avait-ti de quoi d'autre?

— Non, non… Pis, comme j'ai dit, j'aurai plusse de quoi à montrer vers la fin de la semaine prochaine.

— Pas de problème.

Zed prit congé, mais Lionel Arsenault le rappela au moment où il franchissait la porte.

— J'ai vu le maire avant-hier. J'y ai parlé de notre projet. Y'était intéressé d'en savoir plusse. J'y ai dit que tu irais le rencontrer. On aura besoin de lui, j'imagine, à un moment donné.

C'est à ce moment-là que Zed comprit à quel point Lionel Arsenault lui faisait confiance.

— Pas de problème !

Lorsque Zed repassa devant le bureau de la secrétaire, celle-ci lui demanda si tout était réglé.

Zed ne put s'empêcher de s'approcher :

— Y'est-ti tout le temps *nice* de même ?

La question fit rire la secrétaire. Zed ne voulait pas d'autre réponse. De retour à son bureau, il prit le temps de jubiler intérieurement. Lionel Arsenault ne cessait de monter dans son estime, et sa femme Sylvia ne suivait pas loin derrière.

* * *

12. *La stagnation. Il est hasardeux de se battre contre des gens aux visées mesquines, leur résister ne fait qu'embrouiller la situation. Mieux vaut se retirer, éviter de prendre des responsabilités. Créez-vous un*

havre de paix. L'obstruction disparaîtra d'elle-même si vous vous fixez un objectif. Le cinquième trait muable amène l'hexagramme 8, l'union. Le changement se manifeste de tous bords tous côtés. Trouvez des alliés ou un protecteur, joignez-vous à un groupe, devenez-en le chef. Vous trouverez la joie en vous laissant guider par l'harmonie et le plaisir. N'hésitez pas à consulter l'oracle à nouveau, il a encore des choses à vous dire.

* * *

Avant qu'ils ne se mettent au travail, Zed fit faire à Terry le tour de l'édifice. Les deux jeunes hommes ne parlèrent pas beaucoup : le lieu parlait de lui-même. À la fin, ils ne faisaient que se tenir debout au milieu de l'espace.

— *Geeze...* On dirait vraiment que ça part du cœur pis que ça monte. C'est comme... envoûtant.

Même s'il s'y rendait souvent maintenant, Zed tombait lui aussi chaque fois sous le charme du lieu.

— C'est la première fois que je dis ce mot-là, *by the way...*

— C'est un bon mot.

Zed regarda sa montre.

— J'ai pus trop de temps...

Les deux amis se dirigèrent vers l'extérieur et se préparèrent à décharger le camion.

— Ça fait que… quoi c'que tu pensais faire avec ça?

— Je suis pas sûr encore. Me semble que ça pourrait faire des beaux murs. Dans les corridors ou de quoi de même.

— Les cartrons ou ben les *vinyls* zeux-mêmes?

— Je sais pas encore. Un ou l'autre, ou les deux. Ça dépendra.

Zed sortit quelques pochettes d'une des boîtes.

— Vois-tu, on pourrait faire comme un montage de couleurs. Peut-être qu'on mettra les cartrons d'un bord, pis les *vinyls* sus le mur d'en face…

Terry regarda vers le fond du camion. Il devait y en avoir des milliers.

— Où c'est que tu les as pris?

— J'ai tout' acheté ça qu'y'avait sus Cindy's, pis le reste dans une couple d'autres places. Ç'a quasiment rien coûté.

Zed tomba sur une pochette plutôt laide.

— Y'en a qu'on voudra pas mettre, j'imagine.

Les deux jeunes hommes entreprirent de transporter les caisses de vieux disques dans le bâtiment.

— C'est drôle qu'on appelle ça des *vinyls* asteure. Avant c'était juste des *records*.

Zed réfléchit une seconde, puis répondit :

— Je savais que t'étais un intellectuel.

* * *

56

Ce soir-là, en rentrant du travail, Lionel Arsenault passa prendre les mets chinois commandés par sa femme pour le souper. Il le fit de bon cœur ; il aimait que sa femme puisse compter sur lui, même pour des choses anodines.

À la maison, ils dressèrent la table ensemble puis s'assirent pour manger.

— Zed a eu le chèque pour son troque aujourd'hui.

— Pis ?

— Y'était surpris. Y savait pas trop quoi dire. Vraiment, y me fait rire.

— J'aimerais ça de le rencontrer en que'que temps. Annette dit que c'est comme son garçon. A l'aurait adopté si Dorine avait pas pu le garder.

Les mets chinois étaient particulièrement savoureux.

— Quel âge que Dorine avait ?

— Je sais pas… peut-être vingt-deux, vingt-trois.

— A l'était pas si jeune que ça.

— C'était une honte pareil.

— …

— …

— Y connaît-ti son vrai père ?

— Je sais pas. Je crois pas.

Lionel Arsenault laissa tomber l'écaille de la dernière crevette dans son assiette, s'essuya les doigts.

— En tout cas, y va aller loin pareil. Y l'a dans lui.

* * *

Terry fut surpris d'entendre frapper à la porte à cette heure tardive.

— Zed?

— J'avais dans la tête que je voulais te parler à matin, ben j'avais pas le temps.

— Rentre! Rentre! *Good*! Quelqu'un à boire une bière avec. Je commençais justement à trouver la soirée plate.

— Ça doit être tannant que Carmen travaille sitant que ça les soirs…

— J'asseye de pas trop me lamenter…

Terry revint de la cuisine avec deux bouteilles.

— Pis? Quoi c'qu'y se passe?

Zed avala une gorgée avant de parler.

— Premièrement, y se passe que Lionel Arsenault est vraiment incroyable.

— Ben, j'avais comme *figuré* ça.

— Non. Je veux dire qu'y'est *totally* smarte.

— …

— Plusse que je le connais, plusse que j'y parle en vous. Au commencement j'y disais tu.

— …

Zed avala une autre gorgée de bière.

— Deuxièmement, je suis sûr que ça va marcher, notre affaire. Absolument sûr.

— …

— Troisièmement… j'aimerais que tu travailles avec moi.

— !!!

— Pis avec le temps, je suis pas mal sûr qu'y'aura de quoi pour Carmen aussi.

— *Geeze*! Parle! Y'a de la bière en masse!

16. L'enthousiasme

— Y voudrait un petit *bar* en bas. De quoi de tranquille, de la bonne musique, une couple de tables de *pool*. Des sofas. Tu sais, de quoi de confortable. Plusse comme un *lounge*.

Terry n'avait pas pu dormir. Il avait attendu le retour de Carmen.

— Oui, ben ça prend de l'argent pour commencer de quoi de même. Pis quoi c'qu'arrive si ça marche pas? Y'en faut du monde pour faire rouler un *bar*, crois-moi!

Terry n'allait pas la contredire.

— Au moins, sus Dooly's, je perdrai pas ma chemise si y'a de quoi qui va mal.

Terry devait admettre que Carmen avait peut-être raison. Mais quelque chose lui disait que le projet de Zed n'était pas fou non plus.

— Ben, je pourrais travailler avec lui pareil. Juste pour y'aider. Pis on verra à mesure. Y'a beaucoup de bonnes idées.

— Ouaïe…

Terry sentait que Carmen ne livrait pas le fond de sa pensée.

— On dirait qu'y'a de quoi qui te dérange…

Carmen ne le nia pas.

— C'est juste que je peux pas nous imaginer vivre là avec le petit. Me semble que c'est pas une place pour un enfant… si c'est pas deux.

Terry n'était pas certain d'avoir bien compris. Il regarda Carmen dans les yeux.

— As-tu dit ça que je crois que t'as dit?

Carmen rougit un peu, baissa les yeux.

— Je suis pas sûre encore, ben on dirait que je me sens un peu de même.

— Enceinte? T'es enceinte? On est enceinte?

Terry serra Carmen dans ses bras. Il n'aurait pas su dire pourquoi, mais la venue d'un autre enfant le transportait.

— C'est *great*! C'est *just great*!

Carmen se laissa complètement aller.

— Je sais pas si je suis fatiguée ou quoi… Me semble qu'y'a trop de quoi qui va.

Terry se mit à lui caresser les cheveux.

— *Worry* pas, ma belle! Juste *worry* pas, tout' va *right* ben aller! Tu vas voir.

* * *

Comme d'habitude le samedi matin, Sylvia Arsenault — une Gaudet de son nom de fille — s'était rendue au marché des fermiers pour faire quelques provisions. Elle avait fait le plein d'essence à Shédiac, avant de prendre la route de Moncton.

— Ben Mélanie ! Comment ça va ?

Dans son village natal, Lisa-Mélanie était connue sous le nom de Mélanie tout court.

— Pis l'université ?

— J'aime ça…

Sylvia perçut un bémol, ne posa pas de question.

— Je savais pas que tu travaillais encore icitte.

Pendant toute son adolescence, Lisa-Mélanie avait été fidèle à la tâche au dépanneur et comptoir d'essence de ses parents.

— Awh, c'est pour me faire plusse d'argent. Je vas au Mexique à Nouël.

— Au Mexique ! *Wow* ! Avec qui ?

Sylvia connaissait suffisamment la mère de Lisa-Mélanie pour se douter que le projet de sa fille avait dû susciter de l'émoi.

— Trois gars. Ben… y'en a deux qui sont gais. Pis l'autre, vraiment, on sait pas. On croit qu'y'est rien. Sexuellement, je veux dire.

Le tableau fit rire Sylvia.

Lisa-Mélanie s'était toujours sentie à l'aise avec Sylvia, qui était bien plus ouverte que sa mère, même si les deux femmes étaient du même âge.

— Quoi c'que ta mère dit de ça ?

— A l'asseye de pas *minder*, ben je sais qu'a *minde* pareil...

* * *

Terry avait bien dormi malgré tout ce qui arrivait. Sentant la faim, il décida de ne pas attendre Carmen, installa Étienne sur sa chaise haute et se mit à bourdonner dans la cuisine. Aussi décida-t-il de prendre soin d'Étienne avec zèle, dans l'espoir que le bambin ne rechigne pas à s'occuper tout seul pendant qu'il consulterait le Yi King. Il n'avait pas encore eu le temps de le faire depuis que l'oracle l'avait invité à poser d'autres questions

— Une tranche de jambon pour Étienne, une tranche de jambon pour papa. Deux gros œufs pour Étienne, deux gros œufs pour papa. Un *bagel* pour Étienne, un *bagel* pour papa. Veux-tu du saumon fumé sus ton *bagel*, Étienne?

À ce flot de paroles, Étienne n'entendait que bonne humeur.

— Un expresso pour Étienne, un cappuccino pour papa. Du sel pis du poivre pour Étienne, de la marmalade pour papa. Mm-mmm... ça va être bon!

Étienne laissa tomber son hochet par terre. Terry le ramassa tout en surveillant de près les œufs qui grésillaient dans la poêle, et il enchaîna:

— *One hell of a rattle!*

Et il se répondit :
— *Coming up!*

* * *

Lorsque Lionel Arsenault se levait le samedi matin, Sylvia était habituellement déjà partie faire les courses. Il s'installait alors avec son café face à la vue magnifique qu'offrait la baie de Shédiac et feuilletait les journaux qu'il n'avait pas eu le temps de parcourir au cours de la semaine.

Ce matin-là, l'idée que sa femme puisse avoir un amant effleura l'esprit de Lionel Arsenault. Il n'interrompit pas sa lecture pour autant. Ce n'était qu'une idée. Ou un fantasme. Qui expliquerait peut-être. Il avala une autre gorgée de café. Elle est peut-être avec lui en ce moment. Il se râcla la gorge. Non, assurément un fantasme, tourna la page du journal, continua à lire.

* * *

Étienne babillait allègrement dans son parc.

16. L'enthousiasme. Prenez plaisir à voir les choses pour ce qu'elles sont, à subvenir aux besoins des autres.

Une énergie accumulée vous permet de réagir pleinement et spontanément. Vous entendez la musique des sphères. Sortez de votre faux contentement et passez à l'action. Donnez-vous les moyens de réaliser votre objectif. Ne doutez pas de vos amis. La fraternité est la clé du succès.

Étienne babillait de plus en plus fort. Un trait muable en quatrième position amenait le 2, le yin pur, résonance et réceptivité.

La terre a le pouvoir de nourrir et de donner forme à toute chose. Ne prenez pas d'initiative, acceptez un rôle de soutien. Faites les choses à mesure qu'elles se présentent, sans inquiétude aucune. Ce peut être le début d'une ère nouvelle qui vous sera grandement profitable.

Étienne ne babillait plus, il criait. Terry se leva, vérifia la couche du petit, entreprit de la changer.

— C'est de même que tu veux ça? Ein, mon petit Étienne, c'est de même que tu veux ça? Ben, c'est de même que ça va être! Une affaire à la fois. Quoi c'que tu penses de ça, ein? Une couche à la fois. Ein? You-hou?! Ça pense-ti en tout' là-dedans? Ein? You-hou? You-hou?

Étienne ne comprenait pas le sens de tout cela, mais la ponctuation le faisait rire.

* * *

Et tant pis si elle avait un amant. En tournant une autre page de son journal, Lionel Arsenault pensa que, si c'était le cas, il préférerait ne pas savoir qui c'était. De toute façon cela ne servirait qu'à le faire souffrir. Car il ne concevait tout simplement pas qu'ils puissent se séparer. Elle était tout pour lui. Enfin, façon de parler.

Lionel Arsenault jeta un coup d'œil à sa montre pendant que son regard glissait sur les pages financières d'un *New York Times* qu'il avait traîné dans ses bagages. Il glanait des informations ici et là, tout en avalant un peu de café. Il repensait à la nuit passionnée — une autre! — qu'il venait de vivre. D'où leur venaient cette énergie et cette abondance nouvelles? Lorsqu'il tourna la page, son œil tomba sur une petite annonce qui ne semblait pas à sa place : « Le peintre Étienne Zablonski et son épouse Ludmilla tiennent à remercier… »

Une voiture entra dans l'allée. C'était elle. Lionel Arsenault regarda Sylvia sortir de la voiture. Elle était plus belle que jamais. Il avait peine à y croire. Il se sentait sous l'effet d'un charme.

13. Le regroupement

L'oracle avait été on ne peut plus clair. Terry avait donc exécuté avec efficacité et discrétion la première tâche que Zed lui avait assignée.

— Incroyable! Où c'est que t'as trouvé ça?

Terry était fier de sa découverte, mais il ne voulait pas trop le montrer.

— Ç'a commencé que c'était la compagnie Peters Combination Lock. Y faisiont des affaires en fer, des poignées de porte pis des plaques comme fleuries pour la construction, c'était la mode dans ce temps-là. Ben c'te compagnie-là a yinque duré comme cinq ans. Les compagnies d'après faisiont surtout des changes de dessous, jusqu'au mitan des années cinquante.

Zed s'arrêtait sur chaque photo, mais pas long-temps.

— Y'a des centaines d'Acadiens qui travailliont là dans le temps qu'y faisiont du linge. Pour dire le vrai, y viviont quasiment là. Y se faisiont des soupers pis tout'.

Terry désigna une des photos.

— Icitte on voit ben la cafétéria.

— Je croyais qu'y'existait pas de photos du dedans de la bâtisse…

Terry haussa les épaules : comme quoi il ne fallait pas se fier à n'importe quels dires !

— Je rencontre un architecte demain ou après-demain. Je peux-ti les garder ?

Terry remit alors à Zed une chemise contenant les photographies — des copies — et des documents relatant l'histoire du bâtiment.

— J'en ai fait deux cahiers comme ça, j'ai pensé que ça serait pas trop.

Zed fut impressionné par le sens de l'organisation de Terry.

— Ça fait que… y'a-ti de quoi d'autre que t'aimerais que je faise ?

— Ben, faudrait commencer à regarder à comment c'qu'on va tout' financer ça.

— …

— …

Les deux gars avançaient vers le camion de Zed.

— Peut-être que de quoi comme une *co-op* ça pourrait marcher.

— Je te laisse démêler ça.

* * *

13. *Le regroupement. Le mécanisme est bien huilé, l'engrenage est silencieux. Un projet d'envergure rallie*

les gens, crée de l'harmonie. Il faut concevoir de nouvelles structures sociales axées sur l'équilibre et la finalité. Une force créatrice avance vers le centre. Le premier trait étant muable, vous ne faites aucune erreur, poursuivez ! Et le cinquième trait, muable lui aussi : une voix claire et aimante apaise le désarroi du groupe et lui redonne la joie. Les deux traits muables mènent à l'hexagramme 56 : le voyageur — encore ! Le voyage, la vie en exil ou à l'extérieur des normes sociales habituelles sont en réalité une quête, une recherche de combustible permettant de poursuivre son existence. L'identité n'est plus rattachée à un lieu de résidence mais à un appel auquel il faut répondre.

* * *

Même si Carmen savait que le gérant de l'établissement finirait par s'en aller, elle ne s'attendait pas à ce que cela arrive si vite.

— Si y me donnont la *job*, y faudra que je travaille comme une folle autour de Nouël.

— …

— Pis si je suis enceinte et que j'ai mal au cœur comme la dernière fois…

— …

— J'aimerais mieux qui sachiont pas que je suis enceinte.

— …

— Pour pas mêler les affaires.

— …

— C'est mêlé assez comme c'est là.

— …

— Ein? Quoi c'que t'en penses?

Terry était en train de scruter leur rapport, à Carmen et lui, car l'hexagramme 13 évoquait aussi une relation de couple archétypale.

— M'écoutes-tu?

— Oui, oui. J'asseye de voir.

— Awh. Je croyais que tu dormais.

— …

— …

— Je *minderais* pas d'avoir un livre de Jung pour Nouël.

C'était un nom que Carmen avait déjà entendu.

— Tant qu'à ça, je crois ben que je pourrais aller en sortir un à la bibliothèque aussi. Ç'accoutumerait Étienne.

Normalement, Carmen aurait réagi. Elle était forte sur les livres pour le petit. Terry se tourna vers elle. Elle dormait déjà.

* * *

Le célèbre Étienne Zablonski et son épouse Ludmilla avaient fait paraître une petite annonce dans le *New York Times* pour informer leurs amis et connaissances de l'incendie qui avait complètement détruit leur demeure de Baltimore. Aux yeux des plus perspicaces, le message semblait même remercier le pyromane qui avait allumé le brasier. D'ailleurs, Étienne Zablonski avait récupéré une de ses toiles d'une galerie de Chicago et l'avait fait parvenir au coupable comme signe d'appréciation de son geste. La toile valait près de dix mille dollars ; Zablonski avait pensé que, si jamais le pyromane ne l'aimait pas — ce qui était tout à fait possible —, il pourrait toujours la revendre, à sa sortie de prison par exemple, quand il aurait vraisemblablement besoin d'un peu d'argent.

Pour Zablonski et sa femme, l'incendie avait été le petit coup de pied au derrière dont ils avaient besoin pour quitter Baltimore et déménager à New York. Au *New York Times*, le préposé aux petites annonces avait dû s'assurer que l'encadré en question ne contrevenait pas à la loi et aux bonnes mœurs. Comme Zablonski était très réputé et que son message était élégamment formulé, l'équipe de direction du grand quotidien ferma les yeux sur son contenu quelque peu insolite et misa sur le fait que cela marquait sûrement un virage important dans le parcours artistique du peintre.

* * *

Zed espérait attirer un jeune architecte qui n'aurait pas trop à perdre et beaucoup à gagner en participant à un tel projet.

— J'ai pensé à toi parce qu'on veut rien de trop beau.

Le jeune architecte crut bon d'attendre avant de juger de la véritable signification de cette entrée en matière.

Zed lui montra des photos de lofts léchés trouvées dans des revues.

— Vois-tu, comme ça... c'est trop beau. Trop arrangé. Trop neuf.

— Vous voulez le genre *hard*?

Zed aima ce concept.

— Oui. Je dirais pas *hard* à l'extrême, ben *hard*, oui, j'aime ça.

Ils discutèrent pendant une heure, passèrent en revue le dossier que Terry avait préparé. À la fin, un doute subsistait dans la tête de l'architecte.

— Ben, je serais-ti payé? J'ai pas trop compris si vous aviez de l'argent ou pas.

Zed pensa qu'il valait mieux être clair dès le départ:

— Moitié-moitié. On a de l'argent, ben c'est pas la même sorte d'argent que d'accoutume. On va être un petit brin *hard* de ce côté-là aussi.

L'architecte enregistra également cette réponse pour plus tard.

— Quand c'est que je peux visiter la bâtisse?

* * *

Exceptionnellement, les dirigeants du pénitencier avaient autorisé le pyromane à garder la toile dans la cellule qu'il partageait avec trois autres criminels. La toile, un mélange assourdissant de couleurs et d'élans brisés, mesurait six pieds de largeur sur quatre pieds de hauteur. Elle remplissait pratiquement tout le mur au-dessus du lit superposé du pyromane. Au début, les autres occupants de la cellule s'étaient moqués de l'œuvre, mais, au bout d'un certain temps, ils avaient commencé à y faire allusion avec respect.

* * *

Les trois charpentiers et l'entrepreneur en construction à qui Zed venait de faire faire le tour de l'édifice restèrent un moment sur le terrain de stationnement à en examiner l'extérieur. Zed avait dû les quitter pour se rendre chez un brocanteur industriel à Amherst.

L'un des charpentiers souleva sa casquette, se gratta la nuque.

— Moi je sais pas… mélanger du neuf avec du vieux, ça peut être trichant. C'est pas si aisé que ça paraît.

Un autre charpentier mâchait tranquillement sa gomme.

— Ça va prendre pas mal d'invention.

Le troisième charpentier alluma une cigarette, inhala, sembla ne plus s'occuper de la fumée — qui finit par lui ressortir par le nez —, se laissa plutôt distraire par une voiture qui passait dans la rue en klaxonnant. Puis il tourna à nouveau son regard vers le bâtiment.

L'entrepreneur regardait l'édifice lui aussi, les mains sur les hanches.

Le seul charpentier qui avait parlé jusque-là continua :

— Tant qu'à ça, y'en aurait pour l'hiver.

— Comme y faut.

— Peut-être plusse.

— Peut-être plusse.

Le troisième charpentier était du genre à écraser minutieusement ses mégots avec le bout de son pied.

L'entrepreneur, lui, aimait prendre le temps de réfléchir avant de se prononcer.

Dans la rue, la même voiture repassa dans l'autre sens et klaxonna à nouveau. Cette fois-ci les trois charpentiers la regardèrent s'en aller.

* * *

Un jour, n'ayant rien de mieux à faire, les quatre détenus décidèrent de décrocher la toile, simplement pour voir l'effet que leur ferait le mur nu. Ils se rendirent alors compte — au point d'en être émus, mais sans trop savoir que cela relevait de l'émotion — du rapport intime qu'ils avaient établi avec le tableau de monsieur Zablonski. Le mur mis à nu les troubla aussi, car ils le regardaient maintenant comme une toile, c'est-à-dire qu'ils avaient naturellement tendance à l'interpréter. Là où, auparavant, ils ne voyaient rien, il leur était aujourd'hui impossible de ne rien voir. Cette histoire de surface — ou d'œuvre totale, comme une coquille d'œuf vue de l'intérieur — finit par les remuer en profondeur. Leur découverte de l'épaisseur de l'art — qui, en réalité, n'était que le reflet de leurs propres abîmes — faillit les rendre fous. Et c'est pour rompre cette espèce d'ensorcellement qu'ils s'attaquèrent aux murs de la cellule — c'est-à-dire à eux-mêmes — jusqu'à faire suinter quelque intelligence de toutes ces perspectives déformantes.

* * *

N'ayant jamais travaillé ensemble, les trois charpentiers et l'entrepreneur en construction ne se connaissaient pratiquement pas. Toujours debout dans la cour du bâtiment à transformer, ils ne disaient donc pas grand-chose, mais semblaient incapables de prendre congé les uns des autres.

L'un d'eux s'exprima enfin :

— J'asseye de ouère si je connais quelqu'un qui aimerait de vivre dans une place de même…

— Pas ma femme, en tout cas. Moi, je dis pas…
avec ces beaux grands châssis-là…

— …

— Faudra qu'y trouviont une manière de se
débarrasser des pigeons.

— …

Enfin, le troisième charpentier osa :

— Moi j'aime l'idée. Ça ferait de quoi de différent
à travailler dessus. Pis j'aime comment c'qu'y voulont
faire ça. Y'a assez de bonne *trash* alentour, c'est terrible
des fois ça qu'y jetont, ça qu'est laissé là à ruine.

Les deux autres charpentiers approuvèrent.

Un moment de silence suivit, puis l'un des
charpentiers s'aventura :

— Moi, croiras-tu, j'ai jamais travaillé dans de la
brique.

Tout compte fait, l'aveu avait de quoi surprendre.

— D'où c'est que tu d'viens ?

— Barachois. Grand-Barachois qu'y'appelont ça
asteure.

— Qui c'est qu'a décidé ça *anyways* ?

L'autre haussa les épaules. Il ne savait pas.

— Ça sonne ben pareil, Grand-Barachois.

— Pour sûr que ça agrandit.

Tout de même, la prémisse demeurait.

— Pas même une *fireplace* ?

— Pas même une *fireplace*.

— …

— Pas que ça me bâdre.

30. Un feu rayonnant

C'était incroyable, tout marchait comme sur des roulettes : la municipalité avait tout de suite saisi l'intérêt du projet, l'architecte était à l'œuvre et les ouvriers préparaient la mise en chantier pour le lendemain du jour de l'An. Il y avait réellement lieu de festoyer. Ne restait plus qu'à trouver un nom officiel pour le projet.

— À cause pas *Loftstore*? Les Français disont *Drugstore*.....

— Les Français sont assimilés, *if you ask me*.

— Par icitte, le monde va le dire en anglais *anyways*, pas en français.

— Pis ça ressemble trop à *Loft Story*.

— Moi j'aime mieux *La Warehouse*, prononcé ouaraousse, comme ma grand-mère disait.

— Je veux pas te décourager, ben c'te prononciation-là est probablement morte avec yelle…

— A l'est pas morte. A parle juste pus.

— *There you go.*

— Pourquoi pas Loftige, comme voltige? C'est comme dans les airs, à cause de tous les châssis.

— Trop sophistiqué.
— Loftâge?
— …
— Liftige!
— Ça veut rien dire.
— Liftâge?
— Liftose, tant qu'à sonner malade…
— Mourant tu veux dire.
— …
— Ça marche-ti vraiment les *brainstormings*?

* * *

Pomme avait expliqué à Lisa-Mélanie pourquoi il renonçait à ce voyage au Mexique.
— Si tu décides de pas y aller parce que j'y vas pas, je payerai ton billet. Si y voulont pas nous *refunder,* je veux dire.
— As-tu sitant d'argent que ça?
— Non. Ben je payerai pareil.
— …
— …
— Quoi c'qu'y va *on,* veux-tu ben me dire? On dirait que tout le monde est chaviré ce Nouël-icitte!
Pomme éclata de rire.
— Je sais. C'est *great!*

* * *

Carmen venait à peine d'entrer et de déposer ses sacs.

— Quel livre de Jung que tu veux? J'en ai vu comme six…

— Vraiment, tu peux oublier ça. J'ai pus *that much* de temps pour lire. Pis, ça presse moins, je comprends asteure.

Carmen était d'autant plus curieuse qu'elle savait maintenant qui était Jung.

— Quoi c'que tu comprends?

Terry alla poser un baiser sur la joue de Carmen.

— Je comprends comment c'que je suis dépendant de toi.

— Toi, dépendant de moi? Tu fais tout' ça que tu veux!

Terry réfléchit un moment avant de répondre.

— Ça change pas le fait que je suis dépendant de toi.

— …

— …

— Ben, si t'es si dépendant, pourrais-tu pas faire comme je dis des fois?

— Quoi c'que tu veux dire?

— Je dis que tu finis tout le temps par faire ça que tu veux. Ça fait rien quoi c'que je pense.

Terry ne savait pas trop à quoi Carmen voulait en venir.

— Comme?

— Comme pour le *loft*.

— ???

— Tu fais tout' comme si on allait déménager là.

— J'aide juste Zed. Je suis en chômage, j'ai pas grand-chose d'autre à faire. Pis *anyway*, j'y ai dit que t'étais pas folle folle de l'idée.

— C'est justement! C'est tout le temps sus moi que ça tombe. Peux-tu pas juste être de mon bord des fois?

La discussion prenait une tournure que Terry avait du mal à suivre; heureusement, Étienne passait la journée chez ses grands-parents.

— Ben, comment-ce tu veux que je pense comme toi si je pense pas comme toi?

— …

— Toi, tu trouves qu'y faut que les enfants pouviont manger de la terre. O.K. Je comprends l'idée. Ben me semble qu'y a moyen qu'y mangiont de la terre même si on vit dans un *loft*.

— J'ai dit qu'y faudrait qu'y pouviont jouer dehors, dans un champ ou de quoi de même, sans qu'on aye tout le temps besoin de les surveiller.

Terry avait d'ailleurs abordé ce problème avec Zed.

— Zed pense qu'y va avoir de la place pour faire un parc.

Cette remarque fit bondir Carmen.

— Zed pense que! Zed pense que! C'est rendu que c'est tout c'que j'entends autour d'icitte, Zed pense que!

Terry aurait dû savoir que ce n'était pas le moment de mêler Zed à l'histoire, mais, maintenant que c'était fait, il décida d'en avoir le cœur net.

— Quoi c'que t'as contre Zed tout d'un coup ?
Juste la semaine passée t'arrêtais pas de dire comment
c'qu'y'était smarte d'avoir penser à tout' ça, à faire
Nouël là pis tout'…

Carmen n'en pouvait plus. Elle éclata en sanglots,
partit se réfugier dans leur chambre.

Terry la suivit, s'allongea à ses côtés sur le lit, la
laissa pleurer en lui caressant les cheveux.

— *Worry* pas, Belle. Tu sais comment c'que c'est
d'être enceinte. Ça va passer. On va faire ça qu'est
mieux pour tout le monde. Juste braille pis *worry*
pas.

* * *

Étienne et Ludmilla Zablonski essayèrent d'aimer
New York. Ils visitèrent galeries et musées d'art, mais
tout cela leur parut futile et superficiel. Ils ne ressor-
tirent guère plus enthousiastes des quartiers miséreux,
qu'ils avaient espéré trouver plus authentiques.

Pourtant, tout était lisse. C'était comme si la quête
d'un lieu parvenait à remplacer le lieu lui-même. Mais
où cela s'arrêterait-il ? C'est cette question non for-
mulée que Ludmilla traduisit quand elle s'exclama :

— Mais qu'est-ce qu'on va devenir ?

Étienne Zablonski connaissait bien cette forme
d'abandon. Il y avait longtemps qu'il avait appris à
savourer ces vides d'avenir.

— Allons au Canada !

— Au Canada ?

— Oui. Ce sera l'hiver. La neige. Le froid. Les blizzards.

— Brrrrr...

— Justement. Brrrrr... On se protégera du froid.
Ça nous occupera.

— Brrrrr...

Ensuite, Étienne Zablonski raconta de nouveau à
sa femme sa rencontre avec le jeune couple Terry et
Carmen, en France, l'année précédente. Curieusement, c'était comme s'il racontait cette histoire pour
la première fois, et, tout aussi curieusement, c'était
comme si Ludmilla l'entendait elle aussi pour la première fois.

— Et ils parlaient français ?

— Oui, oui. Ce sont les Acadiens.

Ludmilla Zablonski sembla alors se rappeler
quelque chose de lointain.

— Ah oui, les Acadiens. J'ai déjà vu un reportage
à la télé à leur sujet. Ils sont courts n'est-ce pas ?

— Courts ?

Étienne Zablonski repensa à Terry et Carmen,
essaya de voir s'ils étaient courts.

— Non, je ne crois pas. Enfin, je ne sais pas.

— ...

— ...

— Eh bien, allons à Monque-tonne. On verra
bien.

* * *

Carmen ne sanglotait presque plus. Terry était toujours à ses côtés.

— Tu devrais appeler malade. Tu pourrais dormir. Je nous ferai un bon souper. Ma mère *mindera* pas de garder Étienne pour la nuit. On pourra parler de tout' ça si tu veux.

Carmen ne disait rien mais elle semblait s'être calmée un peu.

— Je peux appeler, moi, si tu veux.

Carmen renifla. Un moment passa.

— Ein? Veux-tu que j'appelle?

Carmen renifla encore une fois. Terry eut l'impression qu'elle avait tenté de se rapprocher de lui en changeant légèrement de position. Il lui posa un baiser sur la tête, puis allongea un bras et souleva le récepteur du téléphone. Il composa le numéro. Comme Carmen n'intervenait pas, il poursuivit:

— Josse? Ça va?

— Ça pourrait aller mieux. Tout le monde est malade. Je suis quasiment toute seule à travailler.

Terry prit son courage à deux mains:

— Justement, Carmen non plus *feele* pas ben. À l'ira pas travailler de soir. Ça ressemble à la *flu*.

— Me semblait aussi qu'a l'était pâle hier! Awh *well*, on s'arrangera. Occupe-toi ben de yelle. A m'a sauvé la vie, c'te femme-là.

— Pis à moi itou.

91

Terry raccrocha. Carmen se retourna dans le lit, enlaça Terry, le serra fort contre elle.

* * *

Lorsqu'il entendit son père — ou, du moins, l'homme qu'il nommait ainsi depuis l'âge de six ans — se préparer à sortir par la porte de côté, Zed se leva de table et alla le trouver.

— Je vas aller reculer mon troque.

— Passe-moi les clés, je vas le faire.

— Non non, je vas y aller. J'aurais pas dû le mettre là.

— Ça dérange pas. Je vas le faire.

Zed déposa ses clés dans la main tendue.

— O.K. Si tu veux…

Zed revint s'asseoir à table et continua de manger en silence.

La porte de côté s'ouvrit de nouveau.

— Zed, je mets tes clés là… Ton troque est dur à partir. Je crois que c'est les *plugs*. Je regarderai ça samedi si tu veux.

Zed n'en revenait pas de la gentillesse de son père. C'est vrai qu'il le trouvait plus détendu depuis un bout de temps.

— *Sure*! Si tu *mindes* pas…

Puis l'homme était ressorti. Zed jeta un coup d'œil discret à sa mère, qui mangeait tout bonnement, mais il ne croisa pas son regard.

Au dessert, la mère donna le signal :

— Quoi c'que tu fais à soir, Zed ?

Les deux s'étaient entendus à l'avance sur le petit scénario qui allait suivre.

— J'ai une grosse soirée. On décore les arbres de Nouël au *loft*. Pis on a beaucoup d'autres décorations à mettre à part de ça.

Il s'adressa maintenant à ses deux petites sœurs.

— Voulez-vous venir nous aider ?

Visiblement très excitées à cause de l'invitation de Zed, les deux petites se tournèrent immédiatement vers leur mère pour voir si la proposition avait des chances de se réaliser.

— Avez-vous des leçons ?

— Moi j'ai presque fini.

— Moi aussi !

Zed consulta sa montre.

— Une demi-heure, ça vous donne-ti assez de temps ?

Les filles sautèrent de joie, coururent dans leur chambre.

Zed et sa mère finirent de manger et débarrassèrent la table.

— Pape est comme de bonne humeur dernièrement… Y'a-ti de quoi qui se passe ?

— Y'a quelqu'un qui y'a parlé. Je crois que ça y'a fait du bien.

Zed ne comprenait pas.

— Quelqu'un qui y'a parlé ?

— Oui. Moi.

Zed crut comprendre. Il continua de débarrasser la table, se demandant s'il devait poser la question suivante.

— Ça veut-ti dire que vous allez venir à Nouël ?

— Je croirais qu'on va tout' y aller, oui.

Zed sentit comme un coup au ventre et une chaleur au visage.

La mère connaissait son fils. Elle alla vers lui, mit ses mains sur ses épaules et le regarda franchement.

— En tout cas, moi j'y vas.

Zed savait que sa mère l'aimait, mais la détermination qu'elle montrait en sa faveur à ce moment-ci de sa vie lui donna envie de pleurer. Et c'est ce qu'il fit, dans les bras de sa mère, qui pleura elle aussi, car elle ne comprenait que trop bien. Cela dura une minute, peut-être deux. Cela aurait pu durer plus longtemps, mais deux vies à pleurer, c'eût été trop long, alors ils se ressaisirent, éclatèrent de rire, et finirent de débarrasser la table.

* * *

Terry avait tout fait méthodiquement. Il avait parlé à sa mère, qui avait compris à demi-mot que le jeune couple avait besoin d'une soirée en tête-à-tête, et il avait préparé tout ce qu'il fallait pour le souper, sans rien faire cuire car il ne voulait pas hâter le réveil de Carmen, qui avait sans doute besoin de sommeil. Il avait même eu le temps de faire son Yi King. Encore une fois, la justesse de l'oracle le sidéra.

30. Un feu rayonnant. La lumière se fera à condition que le propos soit doucement et clairement articulé. Quatre traits muables sur six, c'était beaucoup. Le premier lui enjoignait de reconnaître ses propres erreurs. Le deuxième parlait d'un feu de paille, d'un incident de parcours qui n'avait pas vraiment de place dans sa vie. Le troisième, d'un flot de larmes qui ouvrirait la voie et qui permettrait de rétablir la relation. Et le quatrième, de la perfection et de l'abondance accordée à ceux qui apprennent à s'en tenir rigoureusement à l'essentiel. Ces traits muables menaient cependant à l'hexagramme 39, l'obstacle. Terry fut heureux de constater que cet hexagramme n'était pas aussi perturbateur que son titre le laissait croire. Que le problème de couple n'exigeait pas d'être réglé par compromis. Qu'il suffisait de l'oublier pour que l'harmonie revienne. *Rester soi-même, et se tourner vers le sud-ouest, car de là viendrait un vent de fraîcheur.*

— Hmm!

Cette notion de sud-ouest surprit Terry. Il se demanda s'il fallait la prendre au pied de la lettre, ou dans un quelconque sens figuré.

Le téléphone sonna.

— Terry? Zed. Veux-tu que je te ramasse?

— Non, j'irai pas de soir. Carmen était trop fatiguée pour aller travailler, ça fait que je vas rester avec yelle. Ça va nous faire du bien.

Zed apprécia que Terry s'occupe ainsi de Carmen.

— Pas de problème. *Enjoyez*-vous! On se parlera demain.

En raccrochant, Terry aperçut Carmen dans l'encadrement de la porte du salon. Elle n'avait pas encore l'air tout à fait réveillée.

— Quelle heure qu'y'est?

— Sept heures et demie.

— …

— Étienne va coucher à Dieppe.

— …

— As-tu faim?

— Je suis *starvée*.

* * *

— Veux-tu vraiment mettre des lumières dans tous les châssis? Des deux bords, je veux dire?

— À cause pas? Ça sera beau aussi pour le monde qui passe dans le train.

Zed se rallia au point de vue de Pomme, qui avait été ravi de prendre en charge la décoration de l'entrepôt pour la grande fête qui se préparait. Il descendit de l'escabeau, raccorda un autre ensemble de bougies électriques aux précédents, poussa l'escabeau d'un mètre ou deux, remonta et continua à attacher les lumières comme le voulait Pomme.

Pomme, lui, était en train de monter le cinquième sapin. Il trouvait qu'il en fallait cinq, placés ici et là, pour meubler adéquatement le rez-de-chaussée.

— Ça fera comme des îlots. Le monde pourra se promener d'un à l'autre. En même temps faut pas trop les espacer, pour pas que ça paraisse trop vide entre.

— Vide? Y'a comme deux cents personnes qui allont venir!

— Je sais. C'est *great*!

— …

— C'est-ti vraiment Lionel Arsenault qui paye pour tout' cecitte itou?

Zed hésita un moment avant de répondre.

— Y veut pas trop qu'on le dise…

— À cause?

Zed haussa les épaules.

— Y'aimerait mieux qu'on dise que ça vient du budget du projet. Pour la promotion. Y'aime pas trop *flasher*.

Pomme redressa légèrement l'un des sapins.

— C'est drôle comment c'qu'y'en a que c'est tout c'qu'y'aimont, ben qu'avont rien à *flasher about*.

— …

— As-tu pensé à quoi c'que tu vas apporter comme cadeau?

L'invitation précisait qu'il ne fallait rien apporter d'autre qu'un petit cadeau, «quelque chose de culturel».

— Oui, j'ai comme mon idée.

Pomme se mit à rire:

— Moi aussi. J'ai *right* hâte!

7. L'armée

Les premiers flocons s'étaient mis à tomber tout doucement aux environs de Peabody. Étienne Zablonski était au volant. Il trouva joli le nom de l'endroit. Ludmilla, elle, dormait. La radio jouait doucement, comme si une couche de neige l'enveloppait elle aussi. La météo ne prévoyait pas d'accumulations importantes. Étienne Zablonski eut quand même le réflexe de ralentir un peu, par prudence.

Quelques heures plus tard, dans le Maine, la situation était tout autre. Assise bien droite, crispée malgré elle, Ludmilla Zablonski avait les yeux rivés sur la route enneigée. Au lieu de tomber directement, les flocons arrivaient de côté, déformant tout le paysage. Ludmilla proposa une fois de plus à son mari de s'arrêter. Cette fois il se laissa facilement convaincre.

Les Zablonski quittèrent la grande route et aboutirent à Freeport, où ils trouvèrent à loger dans une petite auberge rustique. L'accueil chaleureux des propriétaires et le charme un peu suranné de l'établissement leur donnèrent le goût de s'y emmitoufler.

— Tu as rentré les livres?

Dans une salle charmante où pétillait un bon feu, les Zablonski s'attablèrent devant un homard d'hiver, spécialité de l'aubergiste, accompagné d'un tokay de Cleebourg des plus coulants.

— Je ne savais pas qu'il y avait du homard d'hiver et du homard d'été.

On leur servit ensuite un savoureux dessert maison aux canneberges et aux poires.

Pendant qu'ils sirotaient leur café, Étienne et Ludmilla Zablonski apprirent que la tempête qui soufflait jusqu'à Terre-Neuve durerait encore vingt-quatre heures, peut-être davantage, que c'était une de ces tempêtes imprévues et imprévisibles comme il ne s'en produit plus souvent.

— Vous avez du cognac?

* * *

Debout devant la grande fenêtre du salon, les mains sur les hanches, Pomme regardait dehors. Cette tempête, une vraie de vraie, arrivait à un bien mauvais moment — il avait encore tellement à faire! Dans la cuisine, sa mère chantonnait en préparant ses pâtés à la viande. Dans sa chambre, sa sœur écoutait de la musique impossible. Deux fois déjà son père lui avait crié de baisser le volume, mais sur un ton demandant pitié plutôt qu'avec réelle autorité.

La déneigeuse n'avait pas encore déblayé la petite rue. En face, un voisin peinait derrière sa souffleuse, activité plutôt vaine en pleine tempête, d'après Pomme, car il était évident que la neige et le vent endiablés se feraient une joie de remplir le vide aussitôt.

Le téléphone sonna.

— Pomme, c'est pour toi.

Pomme s'attendait à entendre la voix de Zed au bout du fil.

— Allo?

— Pomme? C'est Lisa.

— Awh! Hallo! Où c'est que t'es?

— À Barachois, ben si ça continue on va *lander* à l'Île-du-Prince-Édouard avant longtemps.

L'image fit rire Pomme.

— Comment c'que c'est à Moncton?

— Pas trop beau. Même les Tim Hortons sont fermés.

— Tu *jokes*!

Un silence suivit. Pomme ne savait pas trop que penser.

— Quoi c'que tu voulais?

— Awh, je sais pas. Juste parler, je crois.

— …

— Pour une chose, je voulais te dire que j'étais pas enragée après toi.

— Non?

— Non.

— …

— On pourrait-ti aller prendre un café en que'que temps? À Halifax ou en que'que part de même?

* * *

Dans son lit, le petit Étienne n'en pouvait plus. Il poussa un pleur décisif. Ou du moins c'est ainsi que le perçut Carmen, allongée sur le divan, plongée dans le dernier recueil de poésie de Gérald Leblanc.

— Terry?

Les pieds de la chaise en bois sur laquelle était assis Terry grincèrent sur le plancher.

— J'y vas.

Terry avait un peu l'impression de marcher sur des œufs depuis que Carmen et lui s'étaient parlé. À sa grande surprise, Carmen s'était quasiment ralliée à son point de vue; du moins, elle s'y opposait beaucoup moins. En fin de compte, ils s'étaient mis d'accord pour y penser encore. Terry lui laissait donc tout le temps qu'il pouvait.

— Étienne Étienne Étienne Étienne...

Terry avait commencé à saluer son fils de cette façon, decrescendo, lorsqu'il allait le chercher dans sa chambre. Et cela avait l'air de plaire au bambin. Parfois il répétait.

— Étienne Étienne Étienne Étienne. Comment ça va Étienne Étienne Étienne Étienne...

Carmen souriait de l'entendre. Elle trouvait malgré tout que Terry avait un assez bon instinct de père. Cette tempête qui durait depuis la veille lui donnait l'occasion d'en reprendre conscience.

— Une autre couche? *Geeze* Étienne... y va faulloir qu'on se parle.

Étienne avait retrouvé sa bonne humeur.

— Ein Étienne? Y va faulloir qu'on se parle. Une bonne *man-to-man talk*. C'est ça qu'on va faire en que'que temps. On va aller prendre une bière ensemble pis on va se parler, toi pis moi. Tu me diras tout' ça que t'as à me dire. Ein Étienne? Tu me diras quelle façon de pére que tu veux. Un pére qui change des couches? C'est-ti ça que tu veux? Que je gagne le tournoi des péres qui changeont des couches?

Étienne riait. Carmen aussi.

* * *

Pomme brava la tempête pour se rendre chez Zed, qui habitait le même quartier. En route, il ne croisa absolument personne, ni voiture, ni piéton. C'était tout dire.

En ouvrant la porte, le père de Zed ne vit qu'un monstre des neiges. Puis, une fois que Pomme eut enlevé l'écharpe qui lui cachait le visage:

— Pomme! Ça fait longtemps qu'on t'a pas vu! Je crois ben que Zed t'a mis à l'ouvrage toi itou?

Plus tard, dans la chambre de Zed :

— *Geeze* ton pére était de bonne humeur tantôt.

— Je sais. Y'est comme ben viré dernièrement. Y'a même arrangé mon troque.

Zed plaça le dernier disque des Païens dans le lecteur, baissa un peu le volume.

— I *hope* qu'y vendiont cent mille copies de c'te CD-là.

— …

— Ben… dix mille *at least.*

Ils parlèrent de choses et d'autres puis, mine de rien, Pomme aborda le sujet qui le préoccupait.

— Croirais-tu que j'ai jamais sorti avec une fille ? De ma vie je veux dire.

Zed haussa les épaules.

— Y'a rien de *wrong* avec ça…

— …

Zed voulut se montrer coopératif.

— Prends-les pas mal, ben peut-être que t'aimes mieux les gars.

Pomme ne le prit pas mal.

— Non. C'est pas ça.

— …

— C'est plusse que… on dirait que je vois à travers du monde.

Zed attendait la suite.

— On dirait que je vois en errière du monde, pis que c'est ça que j'aime… voir comment c'que ça marche par en errière, comment c'que les choses se passent.

— …

— Pis je commence yinque à voir, vraiment.

— …

— C'est-ti *weird* ça?

* * *

La vie est un combat.

Terry avait déposé Étienne sur le divan avec Carmen, qui lui lisait maintenant des poèmes à voix haute.

— *Décembre. Sous l'effet du mois de décembre / au rythme plus lent en face du blanc / l'attente enclenche l'attente / une toupie karmique / débobine sur le lieu / je rapaille tous les décembres de ma vie / et je tourne autour lentement.*

Quelque chose resta suspendu qui était plus que du silence.

— Lis ouère *back* ça.

— *Décembre. Sous l'effet du mois de décembre / au rythme plus lent en face du blanc / l'attente enclenche l'attente / une toupie karmique / débobine sur le lieu / je rapaille tous les décembres de ma vie / et je tourne autour lentement.*

— Mmm… C'est beau.

Carmen tourna la page, geste qui excitait Étienne chaque fois.

— *L'équation du fuzzy. Le bourdonnement de la ville / à cette heure me…*

107

Terry replongea dans son Yi King, recommença sa lecture car il en avait un peu perdu le fil.

7. L'armée. La vie est un combat. Il sévit présentement un grand désordre : prenez les devants et consacrez-vous à mettre de l'ordre, risquez, affrontez les obstacles. Le trait muable en quatrième place indique que l'armée a besoin de repos. Le calme et la patience viendront même à bout d'une relation amoureuse perturbée. Puis le cinquième trait, muable lui aussi : prendre son temps, éviter de suivre les conseils du premier venu.

Ces deux traits muables menaient à l'hexagramme 47, l'enfermement, qui enjoignait carrément à se fier à sa propre lumière intérieure. Un changement souhaitable pointait à l'horizon et l'isolement aiderait à trouver la voie. Aimer sans compter.

Terry ferma son cahier de notes, rangea ses billes et ses livres.

— ... *nous sommes entre les mains de l'immédiat / et de la jouissance comme moyen d'expansion de la conscience.*

* * *

Ce n'était pas la première fois qu'une tempête empêchait Lionel Arsenault de revenir chez lui au terme d'un voyage d'affaires. Sylvia avait appris à composer avec ces contretemps hivernaux. Cette fois, elle s'occupa d'emballer les cadeaux du sac du père Noël qui passerait aux lofts — trente-sept enfants étaient attendus. Ensuite, elle cuisina quelques plats à congeler qu'elle pourrait servir aux amis qui se présenteraient à l'improviste pendant les Fêtes. Après cela, elle ajouta quelques décorations ici et là dans la maison. La tempête se poursuivant de plus belle, elle mit de l'ordre dans sa garde-robe, recousit quelques boutons, rentra du bois et rêvassa tout en triant le tas de revues jetées pêle-mêle dans un coin du salon pour les quelques articles qu'elle y lirait un jour. À vrai dire, jour de tempête ou non, Sylvia Arsenault ne s'ennuyait jamais. La vie était pour elle une suite de petits et de grands événements tous aussi dignes d'intérêt les uns que les autres. La tempête ne faisait qu'envelopper tout ça d'un cocon de blancheur et de silence. Pour elle, le vent n'était que l'écho du profond silence de l'univers. Et, ce matin-là, Sylvia avait prié Dieu de rendre la tempête reposante et bénéfique pour tous ceux et celles qu'elle effleurerait, même ceux et celles qui ne pouvaient se douter de l'abri qu'elle leur offrait. Oui, de cette façon elle était croyante.

* * *

Dans le Maine, le train-train quotidien était lui aussi réduit à son minimum, au grand ravissement d'Étienne et Ludmilla Zablonski. Toute la journée ils passèrent d'une lecture à une autre, entre un assoupissement et un autre, baignant dans le même plaisir espiègle que l'aubergiste mettait à leur confectionner des canapés tous plus appétissants les uns que les autres. À la fin de la journée, les Zablonski firent une sorte de bilan.

— À Monque-tonne, je ferai une analyse.

— Une autre?

— Non, je veux dire une sorte d'étude.

— À quel sujet?

— Je ne sais pas. Mais je sens que j'ai un point de vue.

— Un point de vue?

— …

— Qui serait?…

Ludmilla n'était pas pressée d'encadrer sa pensée, entendait vivre encore un bout de temps avec le simple sentiment d'avoir un point de vue.

— …

— …

— Je me demande si les humains sont faits pour cela. Avoir un point de vue.

Étienne Zablonski, qui avait l'impression d'essayer de s'accrocher à des limbes, voulut tout de même poursuivre la conversation.

— Il y a sûrement quelqu'un qui a déjà réfléchi là-dessus.

— Sûrement.

— …

— À moins que ce ne soit ça, un blizzard.

Après le souper, Carmen, Terry et le petit Étienne se retrouvèrent tous trois allongés sur le divan. L'arbre de Noël illuminé éclairait quelque peu la neige qui dansait toujours devant la fenêtre du salon.

— Terry? Dors-tu?

— Non. Y fait trop beau pour dormir.

— …

— …

— J'ai pensé à tout' ça, au *loft* pis ça…

Intérieurement, Terry se prépara au pire.

— Je sais pas quoi c'que j'avais à être sitant contre. Asteure je trouve que c'est vraiment une bonne idée. Surtout qu'on prendra chacun notre tour à travailler au *bar*, pis qu'on sera dans la même bâtisse que les enfants…

— Vraiment? Tu veux?

— Je sais pas quoi c'qui se passe, ben on dirait que j'ai de plusse en plusse de misère à laisser Étienne, comme pour aller travailler pis ça. Pis là, avec l'autre qui s'en vient… En tout cas j'aime l'idée d'être proche.

— …

— Des fois je me sens loin de toi aussi.

Terry serra doucement l'épaule de Carmen.

— On commence yinque chère. On n'a pas encore tout' mis ça à notre main.

— C'est drôle de penser que ça fait juste un an et demi qu'on se connaît.

— Je sais. On dirait que ça fait des années. Pas que je *minde*.

Le téléphone sonna.

— On répond-ti?

Carmen n'avait qu'à allonger le bras.

— Allo?

— Carmen? Comment ça va? C'est Lisa.

— Awh, hallo!

— Y vente-ti encore à Moncton?

— Pas mal, oui. Où c'que t'es, toi?

— À Barachois, ben après-midi j'étais sûre qu'on allait *flyer* sus l'île, de la manière que le vent était viré. C'est un petit brin moins pire asteure. Ça vient par bourrasques. Terry est-ti là?

— Oui, une minute…

— Non, non! J'ai pas besoin d'y parler. Juste dis-y que ça marche de me brosser les dents avec les yeux fermés. Y t'avait-ti conté?

— Que le cœur te levait pis ça?

— *Big time!* Ça fait un bout' que je voulais y dire, ben j'y pense jamais quante je le voie. Pas que je le voie souvent.

— O.K. J'y dirai.

— Vous allez encore aux *lofts* pour Nouël?

— Tu peux être sûre…

— O.K. On se verra là. Quand c'est c'te *storm-*icitte est supposé de finir *anyway*?

— Y savont pas. Y l'avont pas vu venir pis y le voyont pas s'en aller non plus.

— Je sais. On dirait que tout' est détraqué! Pis Étienne, lui?

— Y'a l'air pas mal normal. Y dort juste asteure.

— Awh, *cute*. O.K. Je vous laisse. Oublie pas de dire à Terry…

Terry avait déjà tout compris.

— C'est drôle qu'a téléphone juste pour dire ça.

Terry trouvait que la soirée prenait une allure de coq-à-l'âne, mais il ne ressentait pas le besoin de donner une direction à tout cela. Pour une rare fois, le Yi King ne l'avait pas vraiment inspiré.

— Je suis vraiment fier qu'on pense la même chose pour le *loft* pis le *bar* pis tout' ça… Ben on peut-ti en parler une autre fois? Je sais pas à cause, je me sens fatigué on dirait.

— Tu sais pas à cause? Tu te vois pas aller. T'as pas arrêté de la journée. Vraiment, t'es plusse vaillant que moi dans la maison.

— Tu trouves?

— Je trouve pas yinque. C'est de même que c'est.

— Ben, toi tu travailles. Ça se comprend.

— Quand même…

— …

— …

Terry passa sa main sur le ventre de Carmen.

— Pis? Comment c'qu'est la petite ces jours-icitte?

— Tranquille, on dirait. A se repose je crois ben.

— …

— Moi aussi, tant qu'à ça.

— C'est ça que c'est. A fait comme sa mére. Déjà.

20. La contemplation

La tempête du Maine, comme l'appelèrent Étienne et Ludmilla, avait été décisive sur un plan au moins.

— J'aime mieux le capuchon en fourrure vraie.

Ludmilla était partagée.

— De toute façon, le renard est déjà mort. C'est du renard, tu penses?

Étienne tâta la fourrure, haussa les épaules.

— Tu penses que ça va les encourager à en tuer d'autres si je l'achète?

Étienne était réaliste.

— C'est possible.

Ludmilla se décida quand même, serra sous son bras la canadienne dont le capuchon comportait une bordure de fourrure véritable et remit l'autre à sa place.

— Après tout, je mange aussi de la viande.

Étienne, lui, avait déjà choisi tout son accoutrement. Ludmilla ne l'avait jamais vu porter autant de couleurs sur sa personne.

— Ça y est, je pense qu'il ne manque que du rose.

La remarque fit rire Étienne. À la caisse, il ajouta sur le tas d'articles des verres fumés teintés de rose.

* * *

Aux lofts, il y avait beaucoup à faire pour rattraper le retard causé par la tempête.

— Pomme, c'est-ti là que tu veux les grandes tables?

— Je sais pas encore. Ça va dépendre des électriciens.

— À quelle heure qu'y venont?

— Je sais pas, y devriont déjà être icitte *by now*.

Pomme était tout naturellement devenu le chargé de projet du Noël du loft. Même Zed était sous ses ordres.

— As-tu trouvé des matelas?

— La Salvation Army va les délivrer après-midi.

— Vous les mettrez dans le coin là-bas, pis vous monterez cecitte autour, pour faire comme un rideau.

Le tissu en question n'était en fait qu'un voile.

— C'est juste pour couper un petit peu. Pis ça brûle pas, *by the way*.

— Où c'est que t'as trouvé ça?

Pomme n'eut pas le temps de répondre.

— Pomme? Les électriciens sont icitte. Y pouvont-ti commencer par le coin du DJ?

* * *

Terry venait de décrire à Carmen la petite œuvre, parfaite pour les circonstances, qu'il avait repérée à l'atelier de Mathieu Léger.

— Y m'a dit qu'y me ferait un bon prix. *But* comment être sûr que c'est Zed qui va l'avoir? Le monde va-ti juste *picker up any* cadeau, ou y'a-ti quelqu'un qui va les donner? De même, *at least*, je pourrais m'arranger avec c'ti-là qui va donner.

— Ça serait probablement mieux que quelqu'un les donne. À moins que, quante ça sera ton tour, tu sortes ton propre cadeau pour le donner à Zed, quasiment au nom de tout le monde.

— Ça c'est une bonne idée.

— …

— Ben, *what about* Lionel Arsenault *then*? Faudrait peut-être avoir de quoi de spécial pour lui itou.

— Y'a ça aussi.

— *Actually*, y'en avait deux œuvres de même. Pas *exactly* des pareilles, *but* avec la photo de la bâtisse.

— …

— Ben, deux, ça ferait *kind of* cher. *Although* que Mathieu ferait peut-être une meilleure *deal* si on en prend deux.

— Encore de plusse si y sait à qui c'que ça va.

* * *

Sylvia s'était rendue chez Annette pour l'aider à confectionner quelques plats spéciaux qui ne pouvaient tout simplement pas être laissés au goût du traiteur.

— Y'en a qui aimont pas l'*allspice* pis y'en a pour qui c'que c'est pas Nouël si y'en a pas. Ça fait que, quoi faire?

— T'en mets.

Annette trouvait que Sylvia voyait clair.

— C'est ben vrai. Après tout', c'est Nouël. *It's now or never*, comme qu'y disent.

Annette y alla donc d'un bon coup de toute-épice, brassa le contenu de la marmite, puis offrit à Sylvia de goûter le mélange.

— Mmm… Vraiment bon!

Sylvia se surprit elle-même d'ailleurs, car normalement elle était de ceux qui n'aiment pas la toute-épice. Mais elle préféra ne pas le dire.

— Vraiment?

— Vraiment. C'est exactement ça.

Sa sincérité était convaincante. La joie d'Annette redoubla.

* * *

Heureux du marché qu'il avait conclu pour les deux œuvres destinées à Zed et à Lionel Arsenault, Terry avait descendu la rue Botsford jusqu'à la rue

Main avec le petit Étienne pour aller les montrer à Carmen chez Dooly's. Au début, elle ne s'était pas enthousiasmée outre mesure.

— J'aime les lettres de scrabble. Pis les petits trous. Pis les petits clous.

20. La contemplation. Représente autant l'action de contempler que le fait d'être contemplé, et toute possibilité d'interaction entre l'un et l'autre.

— Ouaïe. C'est comme beau. Faut s'habituer je crois.

— Moi je crois que Zed va *right* aimer ça.

— En tout cas, yinque pour la photo, c'est une bonne idée. Pis parce que c'est Mathieu.

Ensuite, Carmen, qui s'était occupée du petit Étienne un moment, ne voulut plus s'en séparer.

— J'aimerais ça que vous m'attendiez, on pourrait tout' s'en aller ensemble.

Terry était bien d'accord. Mais, au lieu de l'attendre sur place — l'hexagramme parlait aussi d'agir librement, sans se soucier du temps —, il décida de se promener dans les boutiques de la rue Main et de revenir une heure plus tard, quand Carmen serait prête à partir. C'était l'avant-veille de Noël, après tout.

— Ein Étienne? *After all,* c'est quasiment Nouël. Faut ouère quoi c'qu'y se passe sus la Main!

Le père et le fils entrèrent donc dans quelques boutiques. Terry se demandait s'il n'achèterait pas un cadeau surprise à Carmen, car elle avait déjà deviné tous les autres. Il était un peu ardu de sortir Étienne du traîneau chaque fois et de faire le tour des rayons avec le garçonnet dans les bras. Il s'exécuta trois fois puis renonça. Il ne lui restait plus qu'une vingtaine de minutes de toute façon.

* * *

Étienne et Ludmilla Zablonski sirotaient tranquillement leur café. Ludmilla feuilletait distraitement une revue qui traînait sur place.

— Tu y crois, toi, au changement spontané?

Étienne n'y avait jamais trop pensé, mais il n'avait rien contre.

Ludmilla tourna encore quelques pages.

— C'est vrai que beaucoup de stratégies sont encombrantes, au fond.

Étienne se demanda quelle revue elle feuilletait au juste.

— C'est possible, après tout, de n'être ni en quête, ni en fuite…

Étienne pensait lui aussi que c'était possible.

— Sans que ce soit statique pour autant.

Sur ces mots, Ludmilla leva la tête de sa revue et vit se transformer le visage d'Étienne.

25. La simplicité

Les gens arrivaient à un rythme régulier, se défaisaient de leurs affaires joyeusement mais sans précipitation. Pomme nota qu'il avait été judicieux de prévoir beaucoup d'espace de rangement pour les bottes et les manteaux. Il était aussi content de voir que les jeunes chargés de l'accueil — déguisés en lutins de Noël scintillants — prenaient leur tâche au sérieux.

— Pis moi, je m'appelle Nadine, si jamais tu trouves pus tes affaires…

Mais c'est vraiment quand les invités approchaient du centre de la grande salle que l'émerveillement les gagnait. La mère de Zed, entre autres, ne tarissait pas d'éloges.

— Pis regarde-moi ça!

L'arbre de Noël à l'envers qui pendait du plafond faisait penser à un immense candélabre.

— C'est-ti pas beau? Qui c'est qu'a pensé de faire ça?

— C'est Pomme pis une couple d'autres qu'avont eu pas mal toutes les idées.

— Pomme… C'est ça que c'est. Quante le monde est tranquille de même, c'est parce que ça travaille par en-dedans.

Les cadeaux de Noël s'amoncelaient autour des arbres, ce qui commençait à titiller les enfants.

— Non, non, Lucifer. Faut pas toucher.

* * *

— Zed, je te présente Étienne et Ludmilla.

Zed serra la main des invités. Terry lui avait déjà raconté au téléphone comment il était tombé sur le couple au café Grabbajabba.

— Je suis fier de vous rencontrer. Terry n'en revient pas encore que vous êtes icitte à Moncton.

— Ben, avoue que c'était *highly improbable* qu'on le oueille de nouveau. Je veux dire, quelqu'un que tu rencontres de même, en voyage en Europe…

— Comme ça vous faisez de la peinture ?

— Disons, oui.

Zed voulut aussi s'adresser à Ludmilla, qu'il trouvait fabuleusement belle.

— Et vous ?

— J'ai travaillé dans le monde de l'édition.

— Comme ça vous êtes en vacances ? D'habitude le monde venont plusse par icitte l'été…

Ludmilla y alla tout naturellement.

— On voulait voir des blizzards.

Zed eut alors un flash :

— Connaissez-vous le chanteur Leonard Cohen ?

— Bien sûr. Pourquoi ? Il sera ici ce soir ?

La question fit bien rire Zed.

— Non, c'est juste parce que vous avez parlé de blizzard, ça m'a fait penser à lui.

* * *

Même si Lionel Arsenault ne voulait pas être un centre d'attention, tout le monde avait hâte de le voir arriver. Cela confirmerait en quelque sorte qu'il était bien le bras droit de Zed, ou vice versa. La tante Annette était celle qui avait quelque autorité en la matière.

— Sylvia m'a dit après-midi qu'y viendraient vers dix heures et demie. Y'alliont passer voir sa mère une petite élan avant.

Cela correspondait à peu près à ce que Lionel avait laissé entendre à Zed.

— Y'alliont-ti pas à la messe aussi ?

— Probablement. En tout cas, j'ai hâte de voir la réaction à Sylvia. A n'en reviendra juste pas.

— C'est vrai que c'est beau. Moi-même, je suis *impressed*.

Les gens se côtoyaient facilement. Ils se mêlaient tout naturellement aux conversations en cours ou en relançaient de nouvelles, qui se poursuivaient parfois d'un noyau à l'autre.

— Qui c'qu'est avec Terry pis Carmen là-bas ?

— Je sais pas. Je les connais pas.

— Je croyais que c'était peut-être Lionel Arsenault pis sa femme.

— Non, c'est pas zeux.

— …

— Lui est comme beau pareil…

— Yelle fait pas *exactly* zire non plus.

— Non ben, regarde, y'est *at least* aussi beau que John Cassavetes.

— *Well,* ça *sparkle* icitte!

— C'est Nouël. C'est normal que ça *sparkle*.

✳ ✳ ✳

Les enfants qui croyaient ou qui voulaient encore croire au père Noël avaient la possibilité d'aller dormir sur les matelas, histoire de le laisser descendre la cheminée, manger ses biscuits et boire son lait comme il se devait.

— Quoi c'qu'y se passe là?

— Y contont des histoires de Nouël aux enfants pour les endormir.

— Pis y'écoutont?

— …

— Awh ben, ça donne un *break* aux parents.

Terry, lui, avait dû se coucher avec les enfants parce qu'Étienne était trop petit pour rester tout seul. Le bambin ne semblait pas trop savoir ce qu'il se passait.

C'est seulement quand Terry eut l'idée de lui mettre un livre entre les mains et de lui faire tourner les pages qu'Étienne comprit que quelqu'un racontait une histoire. Terry rapporta fièrement l'anecdote à Carmen, Étienne et Ludmilla.

— C'te petit-là écoute pas juste n'importe quelle histoire qu'y contont. Faut qu'y vire les pages lui-même.

* * *

Zed ne voulait pas accaparer Lionel Arsenault, mais il y avait beaucoup de personnes à qui il voulait le présenter.

— Pape, c'est Lionel Arsenault pis sa femme Sylvia.

Le père tendit la main.

— Je suis content de vous rencontrer.

Zed constata qu'il avait même l'air sincère.

— Y paraît que vous avez une petite *business* vous aussi?

— Awh, c'est pas grand-chose. Moi pis une couple de gars on fait de la soudure.

Lionel Arsenault ne trouva pas cela banal.

— Asteure je comprends où c'que Zed a pris ça, de prendre différentes affaires pis de les faire tiendre ensemble.

La remarque fit sourire, mais le père de Zed en tira une fierté certaine. Surtout que Zed avait renchéri :

— *Hey!* C'est vrai ça. J'y avais jamais pensé.

* * *

— Mélanie! Je croyais que t'allais au Mexique!

Sylvia était toujours contente de revoir Lisa-M.

— Non… Tout le monde était assez excité de faire Nouël icitte que… C'est beau pareil, ein? As-tu vu tout' le coin là-bas, avec les sofas pis le foyer?

— Un foyer?

— Pas un vrai, ben tu peux quasiment pas dire. C'est yinque quante tu passes ta main dans le feu pis qu'a brûle pas que t'es vraiment convaincue.

— !

— J'ai hâte de voir les *lofts*. J'aimerais ça, moi. Y disont que ça coûtera pas trop cher. Je connais déjà beaucoup de monde qui voulont rester icitte… La musique est belle, ein? C'est le frère à Bosse qui DJ. Y'est meilleur que Bosse.

— Tu parles de Jean-Pierre pis Luc à Ti-Len?

Sylvia parvenait à suivre l'évolution des jeunes et des sobriquets.

— As-tu rencontré le couple des États? Y'avont de la *style*, ein?

— Je croyais qu'y venaient de l'Europe…

— Je sais. Leu' français vient de France on dirait…

* * *

La plupart des adultes assistèrent à la distribution des cadeaux aux enfants par le père Noël. Mais, dans quelques petits groupes à l'écart, la discussion se poursuivit.

— C'est-ti vrai que Leonard Cohen est supposé de venir? C'est ça qu'une fille là-bas a entendu dire.

— Quelle fille?

— Quoi c'que Leonard Cohen viendrait faire icitte?

— *Right. Like*, c'est un Juif *by the way*.

— Je croyais qu'y'était zen?

— *Either way...*

— Les zen pouvont-ti pas tout' faire?

— Je sais pas moi. Je dis juste quoi c'que j'ai entendu.

— *Mistake.*

— ...

— Les Juifs fêtont-ti vraiment pas Nouël? On dirait que je peux pas croire ça...

* * *

Étienne et Ludmilla suivaient avec intérêt l'échange de cadeaux entre adultes. Ils ne savaient pas que la nature du cadeau avait été précisée sur l'invitation. Ludmilla se tourna vers son mari.

— Ils sont raffinés, tu ne trouves pas?

Pour Étienne, la soirée en entier était comme une boîte à surprises.

— L'Évangile rouge de... *Holy fuck!* Qui c'qu'est ça ? Wys... chienne... grade... ski...

— Wyschnegradsky !

La bonne prononciation, qui fusa de quelque part au fond de la salle, déclencha l'hilarité.

Le frère de Terry continua d'examiner le boîtier du disque.

Un autre cri se fit entendre :

— Moi je le prendrai si tu le veux pas !

— Ben, je vas l'écouter au moins une fois avant...

Suivit la cousine de Zed. Elle choisit un cadeau en forme de bouteille — certains avaient déjà eu droit à de bons millésimes, à de l'huile d'olive de luxe ou à du vinaigre balsamique véritable —, l'ouvrit.

— Je sais pas quoi c'que c'est. Y'a rien d'écrit.

Quelqu'un voulut l'aider, ramassa le papier d'emballage, chercha une étiquette explicative.

— Rouvre-les !

La fille l'ouvrit.

— Ça sent bon en tout cas.

On trouva enfin.

— C'est du shampooing de chez Colette.

On se passe le mot.

— Quoi c'que c'est ?

— Du Colette *shampoo.*

— Quoi c'qu'y a de culturel *about* ça ?

— C'est un *concept store* à Paris.

— Awh.

* * *

À quatre heures du matin, Terry était écrasé dans le coin d'un divan, le petit Étienne endormi dans ses bras. À côté, Carmen s'était jointe au groupe qui jouait à Quelques Arpents de Pièges. Les règlements étaient un peu flous, mais tout le monde — y compris les Zablonski — essayait quand même de gagner.

— Celle-citte est pour Terry. Terry? Dors-tu?

— Oui pis non.

— Dans l'I Ching, quoi c'qu'est le nom de l'hexagramme 25?

— Tu *jokes*!

— Non non, c'est vrai!

— Je te crois pas.

Carmen se leva pour lui montrer la carte. C'était bien vrai.

— Ben, croyez-moi ou pas, c'est La « simplicité »… *Without embroiling* en anglais… pis c'est ça que j'ai eu à matin.

La réaction fut unanime.

— Noonnn…!

— Je vous dis! C'est pour ça que je le croyais pas!

— Incroyable de fait!

— *Connection to heaven* que ça disait. Pis c'est exactement ça que c'est.

15. L'humilité

☷
☶

— Ça me surprend.

— Quoi c'qui te surprend ?

Un type que Terry avait déjà vu alentour mais qu'il ne connaissait pas avait tiré une chaise en se joignant à la conversation. Terry repoussa le fourbi du petit et attendit que le gars fût assis avant de répondre.

— L'autre soir, à TV5, y'a une chanteuse québécoise qui parlait de c'te chanson-icitte. A disait qu'a l'avait rencontré un gars de Moncton qui y'avait dit que sa grand-mère y chantait ça.

— *So ?*

— Ben, a l'a pas dit Moncton en Acadie, ou Moncton au Nouveau-Brunswick ni rien de même. Comme si tout le monde savait où c'est qu'est Moncton.

— ...

— Comme si on était une grande ville ou une place *right* connue.

— ...

— En tout cas, moi ça m'a surpris.

Le gars qui venait de s'asseoir n'avait pas l'air d'avoir une opinion arrêtée sur le sujet.

— Qui c'qu'était la chanteuse?

— Mara Tremblay. Tu peux pas vraiment oublier un nom de même.

— …

— Ben, tant qu'à ça, tu peux pas vraiment oublier la fille non plus.

Le type énonça alors ce qui semblait être sa conclusion sur le propos :

— Je me demande qui c'qu'est le gars qu'a l'a rencontré.

Puis il eut un mouvement d'impatience.

— Y servont-ti pus de café icitte ou quoi?

* * *

Le mouvement Prizon Art — le z constituant une sorte d'hommage minuscule à Zablonski — connut un succès fulgurant, tant par la rapidité avec laquelle l'école se développa que par la densité des œuvres qu'il proposait. Le critique d'art qui le découvrit (deux de ses frères séjournaient dans le même pénitencier que le pyromane zablonskien) en parla avec une telle ferveur qu'il suscita une petite ruée aux portes de la prison en question.

Hommage minuscule à Zablonski, car ces prisonniers n'allaient pas faire l'éloge de qui ou de quoi que ce fût. En bons réfractaires qu'ils étaient, ils ne tenaient surtout pas à prouver qu'il était possible de s'émanciper en prison. Ils répétaient donc à qui voulait l'entendre qu'ils avaient été initiés à la peinture à leur corps défendant et qu'ils pratiquaient maintenant cet art par compulsion, c'est-à-dire après exposition intense à un tableau d'Étienne Zablonski. C'était accorder un énorme pouvoir à un tableau — ils en étaient conscients —, mais cela valait mieux que de reconnaître quelque mérite que ce fût au système qui les désignait comme criminels.

* * *

Sur le chemin du retour à la maison, Terry commença à sentir que l'hiver avait assez duré. Pourtant, en se rendant au café tout à l'heure, il s'émerveillait encore de la blancheur qui éclatait de partout et des bancs de neige qui obstruaient encore la vue dans les entrées et aux coins des rues. Non, il ne se souvenait pas d'avoir vu autant de blizzards — il avait prononcé ce mot à la française, comme Ludmilla — dans un même hiver.

Terry se retourna et jeta un coup d'œil à Étienne, confortablement installé au fond du traîneau.

— Ein Étienne? Quoi c'que t'en penses? Le monde est-ti tanné *or what*?

La neige laissée par les tempêtes successives avait passablement réduit la largeur des rues, et bon nombre de trottoirs n'étaient pas déblayés. Terry avançait donc en se retournant souvent. Plusieurs fois il dut grimper un peu sur les bancs de neige pour laisser passer les voitures. En général, elles ne roulaient pas trop vite, mais il leur arrivait de glisser légèrement à gauche ou à droite sur la couche de neige et de glace qui recouvrait l'asphalte.

— Tu te rappelleras de cecitte, ein Étienne, quante tu seras maire de Moncton?

* * *

Zed et Zablonski faisaient leur pause en même temps que les autres ouvriers du chantier. Cet après-midi-là, ils bavardaient, un peu à l'écart.

— C'est drôle comment c'que nos noms commençont tous les deux par Z.

Zablonski acquiesça

— C'est ton vrai nom de naissance?

La question fit rire Zed.

— *Jokes*-tu?

— ...

— La première vraiment bonne affaire que j'ai faite, dans ma vie, ç'a été ça. Changer mon nom.

— ...

— Toi?

— Moi?

— Oui. Ça serait quoi une vraiment bonne affaire que t'as faite dans ta vie?

140

La question nécessitait réflexion, ou du moins une sorte d'introspection dont Zablonski n'avait plus tellement l'habitude. Il répondit donc du tac au tac :

— *Jokes*-tu?

Zed trouva qu'il s'acclimatait bien.

* * *

15. L'humilité. Laissez de côté l'orgueil et les complications et vivez votre amour pleinement. L'heure est à la clarté : exprimez-vous avec des mots simples et ne lâchez pas le Yi King. Choisissez le rang inférieur mais soyez alerte car les liaisons veulent se faire. Le trait muable en deuxième position indique que d'importantes responsabilités vous incomberont précisément parce que votre modestie inspire confiance. Profitez-en et faites un souhait du fond du cœur, il se réalisera.

Terry eut quelque hésitation à l'idée de formuler un souhait venant du fond de son cœur. Son souhait serait-il suffisamment inspiré? Il repoussa sa chaise, allongea les jambes, ferma les yeux et essaya de se détendre. Il n'était pas toujours aisé de laisser de côté l'orgueil et les complications. De plus, fallait-il qu'il fasse son souhait tout de suite? Il décida que rien ne l'y obligeait, qu'il pouvait bien laisser cela mijoter un peu, quelques heures du moins, peut-être même une journée ou deux. Il acheva donc sa divination, le trait muable menant à l'hexagramme 46, la poussée vers le haut. *La base est solide et votre objectif est en harmonie avec votre entourage et la société, vous êtes sur la bonne voie. Travaillez fort, soyez sans crainte, votre heure viendra. N'hésitez pas à aller voir quelqu'un de grand.*

Le téléphone sonna. C'était Carmen.

— Awh, pas grand-chose.

Terry se ravisa aussitôt, se rappela qu'il devait parler clairement, du fond du cœur.

— *Actually*, je finissais juste de faire mon I Ching.

— Pis?

— Ça regarde ben…

Il ajouta, pour vivre son amour pleinement :

— Pour tout' nous autres, je veux dire. Notre famille.

Carmen s'était rendue au travail tôt dans l'après-midi. Elle n'en avait pas envie mais, en tant que gérante, elle se faisait un devoir de participer à toutes les réunions du comité des employés. Elle profitait maintenant d'une pause pour téléphoner à la maison.

— Pis Étienne?

— Y dort. Je l'ai amené au café tantôt… Je sais pas si c'est à cause du *last storm* ou pas, *but* le monde était *grouchy* là.

— …

— Y se *pissiont off* pour rien.

— …

— Ça fait qu'on n'a pas resté *that* longtemps.

* * *

Les Zablonski étaient en train de s'établir en Acadie, à Moncton plus précisément, mais ils n'en étaient pas encore conscients. Depuis leur arrivée, ils n'avaient rien trouvé de mieux à faire que de répondre à l'espèce de sollicitation naturelle qui se dégageait de cette ville et de ses habitants.

— Nous irons encore plus au nord l'hiver prochain. Jusqu'au Nunavut peut-être.

Zed regrettait déjà un peu d'avoir à envisager leur départ, mais il ne savait pas trop comment le dire.

— Mmm…

Pour le moment, le couple campait dans un coin habitable des lofts en devenir, en échange du travail de conception de Zablonski, qui avait un réel talent pour les surfaces et les textures.

— De toute façon, on ne pourra pas rester ici éternellement.

Zed haussa les épaules.

— À cause pas?

— Se réinstaller?

Zed n'y voyait pas de problème.

* * *

Plus tard le même soir, encore au téléphone :

— Asseyes-tu de dire que je parle trop chiac?

— On dirait que c'est pire dernièrement. C'est quasiment comme si que tu faisais par exprès.

— Par exprès ? Quoi c'que tu parles *about* ?

Terry essayait de se raccrocher au Yi King. L'oracle avait parlé de mots simples, mais il n'avait pas précisé dans quelle langue. Terry aurait eu besoin de réfléchir alors que Carmen, elle, semblait avoir déjà songé à tout cela.

— Je pense à Étienne. C'est pas beau un enfant qui parle chiac. Un adulte c'est pas si pire.

— ?

Terry n'avait vraiment rien vu venir de ce côté-là. Et il dut se l'avouer, il était blessé.

— *Geeze* Carmen, tu me surprends. On n'a jamais parlé de ça. De la manière qu'on parle. Je veux dire, que ça serait un problème.

— Prends-les pas mal. On en reparlera. Ça doit être à cause des enfants. On dirait que ça me fait penser à des affaires que je pensais pas avant.

* * *

Pomme s'intéressait vraiment à l'art d'avant-garde depuis qu'il avait reçu un album sur le sujet — cadeau du Noël des lofts. Ce n'était donc pas tout à fait par hasard qu'il avait pris connaissance du mouvement Prizon Art, car il avait maintenant l'habitude d'aller fouiner dans les revues d'art chez Reid's, ainsi qu'à la bibliothèque de l'université.

— C'tes *guys*-là *caront* pas, *man.* Y sont enfermés, pis tout' qu'y'avont à faire c'est peinturer jusqu'à temps qu'y passiont à travers du *wall.*

— Quoi? Tu veux dire qu'y grattont le mur? Ça me surprend qu'y les laissont faire…

— Moi je croyais que c'était l'épaisseur de la peinture qui comptait…

— Pas yinque ça. Faut que tu donnes aux couleurs le temps de *settler.*

— À cause? Quoi c'que ça fait?

Personne ne savait au juste.

— *So* quoi?

— *So,* ç'a tout' commencé avec c'te *guy*-icitte — un *pyromaniac* — qu'a brûlé la maison d'un artiste.

— Y'où ça?

— Aux États.

— *Figures.*

— Pis?

Pomme était enfin parvenu au clou de l'histoire. Il voulait frapper juste.

— Ben, l'artiste s'appelait Zablonski. Étienne Zablonski.

Petite stupeur générale.

— Tu *jokes*!

— Je *joke* pas en tout'. C'est écrit *right* icitte.

Pomme ouvrit sa revue, montra la page.

Les autres se regardèrent.

— Terry sait-ti ben tout' ça pis y nous a rien dit?

Pomme laissa filer la conversation sans intervenir.

— Pourquoi c'qu'y nous aurait pas dit? C'est pas un *secret.*

— …

— Y doit saouère. *After all,* le petit s'appelle Étienne à cause de lui.

— Vraiment? Je savais pas ça.

— Moi non plus.

— Ben oui! Y'avait acheté un *diamond* à Carmen pis tout'!

— Qui ça?

— Zablonski.

— Quoi, y voulait la marier?

— Quand ça?

— Ben quoi? Savez-vous rien?

55. L'abondance

☲☳

— Je croyais que t'aimais mon chiac? C'est une des premières affaires que tu m'as dit quante tu m'as rencontré.

— Ben, je l'aimais aussi. Je dis juste qu'asteure c'est pas pareil.

Terry monta aux barricades.

— O.K., si on connaît les mots, là ça se comprend. Disons que je *minderais* pas de dire poêlonne à la place de *frying pan*. Ben quoi c'qu'arrive quante tu connais pas les mots? Comme *ball bearing*? Ou *steering wheel*?

— Tu sais pas comment dire *steering wheel* en français?

Carmen ne voulait pas perdre patience, mais elle sentait qu'il était temps de crever l'abcès.

— Je sais peut-être, ben quand même-ti, c'est pas un mot que je *userais* au garage. Ça dépend à qui c'que tu parles.

Carmen fut piquée.

— Comme là! Le mot *userais*! T'aurais pu dire de quoi d'autre! T'aurais pu dire « utiliserais »! C'est ça que je veux dire! On dirait que tu fais par exprès!

— …

— Ou en tout cas, tu te forces pas.

— …

— Tu parlais mieux que ça en France.

— Ben là, c'est pas pareil. Y nous connaissiont pas. Pis je parlais moins.

— …

— Pis *anyways*, depuis quand c'est qu'y faut qu'on se force pour parler notre langue? Je veux dire, c'est notre langue. On peut-ti pas la parler comme qu'on veut?

— …

— Je veux dire, c'est-ti *actually* de quoi qu'y faut qu'on s'occupe de?

* * *

Pomme n'était pas peu fier d'avoir découvert les antécédents d'Étienne Zablonski. Pour lui, c'était l'équivalent d'une découverte scientifique. Même Hermé, habituellement au fait des nouveaux courants, avait été obligé d'admettre qu'il ne connaissait pas le mouvement Prizon Art.

— Ça doit être pas mal récent.

Pomme lui avait alors tendu la revue ouverte à la page de l'article en question, intitulé « *The Isolated Ones* ». Hermé avait déjà quelque chose à dire rien qu'à partir du titre.

— Hmm. Ça fait penser à l'article que Georges-Albert Aurier avait écrit sur Van Gogh dans le premier numéro du *Mercure de France,* en 1890.

Il parcourut rapidement le texte devant Pomme, qui restait debout là à attendre au milieu du couloir du centre Aberdeen. Pomme sentait que des milliers de connexions s'allumaient dans la tête d'Hermé quand il lisait et il aimait vraiment voir ça.

* * *

La tante Annette et Sylvia Arsenault s'étaient prises d'affection pour Ludmilla. Par ailleurs, elles n'en revenaient pas d'avoir une squatteuse comme amie.

— T'aurais dû me dire. Je serais allée te chercher.

Ludmilla avait marché de la laverie au restaurant où les trois femmes s'étaient donné rendez-vous. En la voyant arriver, le serveur avait offert de ranger son gros sac — en toile, rempli de vêtements fraîchement lavés — sous le comptoir de la caisse.

— C'est parce que je me suis seulement décidée à la dernière minute. La plupart du temps je vais chez Terry et Carmen. Je garde Étienne en même temps — il est tellement mignon, ce petit. Ça fait d'une pierre deux coups.

Comme elle s'exprimait bien! Sylvia avait l'impression d'entendre couler un ruisseau. Cela lui donnait envie de roucouler pareillement.

— Est-ce que c'est vrai qu'y s'appelle Étienne à cause de ton mari? C'est ça que j'ai entendu dire…

Sylvia avait beau faire attention, dire « est-ce que » au lieu de « c'est-ti », elle n'entendait pas la musique de son propre langage. Elle avait aussi l'impression de commettre des erreurs. Parler allait trop vite, ne donnait pas le temps de se reprendre.

— Oui, c'est vrai. Mais c'est une longue histoire.

— On n'est pas pressées…

Ludmilla raconta donc ce qu'elle savait. Annette fut impressionnée.

— C'est pas croyable pareil, hein? Non ben, c'est toute une coïncidence!

— Bien, nous savions — enfin, c'est Étienne qui les connaissait — que Terry et Carmen étaient originaires de Monque-tonne. C'est un peu ce qui nous a aiguillonnés par ici.

Aiguillonner. Sylvia était éblouie par une telle richesse de vocabulaire. Annette, elle, croulait plutôt sous l'effet du hasard.

— Quand ben même! De vous rencontrer de même! Sus la rue Main! Trois jours avant Nouël!

Ludmilla devait bien l'admettre.

— En effet. Cela a rendu Étienne très heureux. Et moi aussi, par ricochet.

Sylvia jubilait devant tant de beauté — ricochet! — et d'aisance. C'était comme si, au fond d'elle-même, il y avait quelque chose qui se réveillait.

* * *

— Je te dis, j'ai juste comme *blowé*.

Terry avait vraiment l'air dépité.

— Ben, juste excuse-toi.

— Quoi c'que tu crois que j'ai fait?

— Pis? Comment c'qu'a l'a pris?

— Pas si pire…

— …

— A voulait pas rester enragée yelle non plus.

— …

— *Still*, ça me dérange encore. Je comprends pas pourquoi c'que ç'arrivé.

— Vous êtes peut-être juste stressés ou de quoi de même. Vous brassez pas mal d'affaires. Pis avec Carmen enceinte encore de plusse.

— Je sais. Ben c'est tout' des affaires qu'on veut faire.

Zed comprenait, et il n'aurait pas voulu perdre Terry, son confident et bras droit, après Lionel Arsenault s'entend, lequel était bien plus qu'un bras à vrai dire… cela frôlait la grue!

— Quoi c'qu'était votre *argument anyways*?

Terry secoua la tête.

— Tu le croiras pas. C'était sus le chiac.

— Le chiac?

Terry secoua la tête de nouveau. Zed attendait la suite.

— Carmen trouve que je devrais me forcer pour mieux parler français. À cause du petit. Pis de la petite qui s'en vient.

— …

— A trouve que c'est pas beau un enfant qui parle chiac.

Zed réfléchit un instant.

— Je peux comprendre son point.

Terry ne fut pas surpris.

— Moi itou, *so much*. Ben quoi c'que tu fais avec toutes les affaires qu'on sait pas même le mot en français?

— Comme?

— Comme, je sais pas moi, n'importe quoi… *roller blinds*.

Zed y pensa un peu, mais il fut incapable de répondre. Au bout d'un moment, son visage s'éclaira quand même.

— Ouèrais-tu ça? Que le chiac serait comme les cigarettes pis la *booze*? T'aurais pas le droit de le parler avant d'aouère dix-neuf ans?

Zed éclata de rire, sembla trouver son idée bonne. Au bout d'un petit moment:

— Qu'est-ce tu fais asteure? Carmen t'espère-ti, je veux dire?

— Non. Étienne est à Dieppe pis Carmen est partie travailler tôt.

Zed se leva.

— *Perfect.* Viens. Ça prendra pas de temps. On va aller ouère de quoi.

Dans le camion, Terry réfléchissait à haute voix:

— C'est drôle. Les pires chicanes qu'on a eues Carmen pis moi, Étienne était pas là. Je me demande si a *plan* ça de même. Je vas commencer à être sus mes

154

nerfs asteure quand je vas saouère qu'Étienne sera pas
là.

Quelques minutes plus tard :

— En tout cas, asteure je comprends pourquoi
c'qu'y'appelont ça la langue maternelle.

＊ ＊ ＊

Pomme était de bonne humeur, et en même temps
un peu surexcité. Les heures passées à la bibliothèque
Champlain l'avaient à la fois stimulé et épuisé. Il avait
besoin de parler, mais pas à n'importe qui.

— Lisa ?

— Pomme ?

— Je me demandais juste qu'est-ce tu faisais ?

— Ben, pour être franche, je suis sus le bord de
casser ma flûte en deux.

— *Great!* Quoi c'que tu dirais de venir prendre
une bière à la place. On en parlera, pis tu la casseras
après, si tu décides.

— Bonne idée !

— Le seul problème, c'est que j'aurais pas le
temps de t'amener à Halifax ni rien de même.

— *Who cares ?*

＊ ＊ ＊

— Carmen pourra juste pas croire cecitte…

Terry et Zed sortirent de la Librairie Acadienne les bras chargés de dictionnaires. Après avoir demandé conseil, ils avaient choisi les deux volumes du *Petit Robert* — pas si petits que ça, de dire Terry —, celui des noms communs, ce qui allait de soi, et celui des noms propres — aussitant ben, d'ajouter Zed —, le *Robert-Collins* français-anglais et le *Visuel* bilingue. Zed avait tout payé, un cadeau, qu'il avait dit, pour tous les services que Terry lui rendait.

— Surtout celui-là avec les portraits. Là *at least* tu peux ouère de quoi c'que le monde est fait.

— C'est vrai. J'aurais dû en acheter un pour mes sœurs itou.

Ils entassèrent les dictionnaires entre eux sur la banquette avant, puis Terry commença à feuilleter le *Visuel* pendant que Zed retournait à la librairie en acheter un autre pour ses sœurs.

Quand ils eurent repris la route, Terry ajouta malgré lui :

— Non ben, c'est cher pareil. C'est pas tout le monde qui peut *afforder* ça.

— Tout' coûte asteure… Tout'.

— Je sais. Ben, payer pour sa langue, c'est un petit brin *much*!

* * *

Le soir venu, Ludmilla raconta à Étienne sa rencontre avec Annette et Sylvia.

— Elles ont demandé quel *loft* nous allions acheter.

— Qu'est-ce que tu leur as dit?

— Que nous nous ne savions pas encore.

— ...

— Il y avait quelque chose dans leur regard...

— ...

— Quelque chose de... je ne sais pas. Je n'arrive pas très bien à saisir.

— ...

— Il y a des lapses dans ce pays, tu ne trouves pas?

— Des lapses?

— Oui. Des lapses. Comme des oublis... ou des glissements, à la fois dans l'espace et dans le temps.

— ...

— Non?

Étienne Zablonski s'approcha de sa femme, lui mit son bras autour des épaules et déposa un baiser dans ses cheveux doux et souples.

Ludmilla continua:

— Et nous ferions quoi, au Nunavut?

* * *

Carmen ne devait pas tarder. Terry l'attendait avec fébrilité. Il avait du mal à se concentrer. Il avait dégagé un espace sur une étagère de leur appartement de plus en plus encombré et y avait placé les dictionnaires. Le petit Étienne avait déjà été initié. Il babillait maintenant dans son parc.

55. L'abondance. La coupe déborde, frôle l'excès. Vous êtes comblé de talents et de succès, entouré d'amis et de richesse. Jouissez maintenant de leur soutien et de leur générosité, des fruits de vos actions passées. La récolte est abondante, réjouissez-vous même si le cycle tire à sa fin. Brillez comme le soleil à son zénith.

Terry digéra ces premières informations, se leva, remonta le mécanisme du jouet musical d'Étienne en se dirigeant vers la cuisine pour se verser une bière.

Le trait muable en première position l'incitait à mettre de côté sa timidité et à approcher un personnage important comme un égal, car l'association qui résulterait de la rencontre était essentielle pour les deux personnes. Quant au deuxième trait muable, en troisième position, il évoquait une profusion paralysante — un bras fracturé! — mais rien de très grave.

Terry avala une gorgée de bière avant de passer à l'hexagramme relié.

16. L'enthousiasme. Prenez plaisir à penser à votre affaire et à mettre en place les éléments qui favoriseront l'harmonie. Misez sur la sagesse et préparez-vous afin de pouvoir un jour réagir avec spontanéité, car ce sera formidable! Comme un enfant à dos d'éléphant.

* * *

— Zablonski? Êtes-vous là?

Il devait être autour de vingt et une heure quand Étienne Zablonski entendit cet appel inusité. Il se leva et marcha jusqu'à la grande fenêtre. Il regarda au sol mais ne vit rien de spécial. Puis il entendit frapper à l'une des portes de l'entrepôt en voie de réfection.

— Zablonski? C'est Zed!

Étienne Zablonski vit trois individus s'écarter en reculant du pied du bâtiment. Deux d'entre eux portaient des sacs. Le trio regardait vers le haut, vers la section du bâtiment où Ludmilla et lui s'étaient installés. Étienne reconnut Zed.

— Zablonski? C'est Zed! Je suis avec Pomme pis Liza-Minnelli! On vient visiter!

Zed aurait pu entrer dans le bâtiment — il en avait toutes les clés — mais, pour ne pas effrayer les Zablonski et aussi parce qu'il venait cette fois en tant que visiteur, il trouva plus approprié de se comporter comme un invité. Ou enfin, comme quelqu'un qui avait des chances de se faire inviter.

64. Avant l'accomplissement

— T'as pas besoin de *worryer* pour l'anonymat par icitte. Tu vas l'aouère *anyways.*

Pomme avait sorti sa revue et avait montré l'article à Étienne Zablonski.

Dans un coin, Lisa-M. dansait toute seule sur un air inconnu qui sortait de l'ancienne chaîne stéréo de Zed, qui l'avait prêtée aux Zablonski. Ludmilla suivait attentivement la danse, au cas où cela l'aiderait à nommer cette chose observable mais indéfinissable dont elle avait le sentiment.

— Je n'étais pas — je ne suis pas — un embrayeur.

Zablonski avait ajouté, en riant :

— Je suis plutôt un débrayeur.

Pomme écoutait intensément l'artiste célèbre. Il était stupéfait de savoir ce qu'était un embrayeur — ses lectures collaient donc à la réalité !

— C'est drôle que Van Gogh a commencé à peinturer après avoir perdu sa *job.* En anglais y disont *fired.* Mis en feu. Ou allumé, c'est selon.

Zablonski était à la fois amusé et intrigué par Pomme, qui s'occupait maintenant de remplir les verres de vin. À la fin, le jeune homme lui tendit la bouteille, afin qu'il puisse en lire l'étiquette.

— Ça fait pas longtemps qu'on est de même… tout' *workés up* pour le vin qu'on boit.

Zed ajouta :

— C'est vrai. Moi-même, c'est rendu que je le *sniff* avant de le boire.

Puis tous trois se retournèrent pour regarder danser Lisa-M., qui, hasard ou pas, devint alors particulièrement gracieuse. Pendant un certain temps, plus personne ne dit un mot.

* * *

Carmen rentra plus tard que prévu ce soir-là.

— Je me sens fatiguée. Je sais pas comment longtemps que je pourrai porter ce bébé-là.

Terry prit son manteau et son écharpe et les secoua un peu avant de les accrocher dans la garde-robe, car il s'était mis à neiger de nouveau.

— Pis icitte, rien de nouveau ?

Terry la trouvait douce, vulnérable.

— Ben… j'ai repensé à toute l'histoire du chiac pis ça. Pis je vois mieux quoi c'que tu veux dire. Depuis ce temps-là j'arrête pas de m'entendre chaque fois que je dis un mot anglais. Ça sonne deux fois plus fort dans ma tête.

Terry avait vainement cherché une astuce pour mêler Zed à l'histoire sans que Carmen s'en offusque. Il y alla donc sans détour.

— Pis j'ai parlé de tout' ça avec Zed, qui était de ton bord *by the way.*

Terry releva intérieurement l'expression anglaise qu'il avait utilisée mais ce n'était pas le moment de s'y arrêter. Il se leva et se dirigea vers l'étagère où il avait rangé les dictionnaires.

— Ça fait que… Zed nous a fait un cadeau.

Carmen vit alors les quatre volumes. Terry les présenta formellement :

— Nom communs, noms propres, français-anglais — ou anglais-français, je sais pas comment c'que t'es supposé de dire ça — pis…

Terry sortit alors le *Dictionnaire visuel.* Il l'apporta à Carmen, l'ouvrit au hasard.

— Tu… y'a le mot français pis le mot anglais.

— …

— Comme là, moi je croyais que c'était ça un *footstool.* Ben c'est vraiment un pouf. Pis un *footstool* c'est un tabouret. *Step-chair*, chaise escabeau, *bean-bag*, fauteuil-sac, *stacking chairs*, chaises empilables, *folding chair*, chaise pliante… ben celle-là on la savait.

Terry sauta à une autre page au hasard. Il tomba sur les mollusques comestibles et il parcourut la page rapidement avant de s'exclamer :

— *Geeze*, on en sait pas mal sus c'te page-icitte… Pis garde ça ! Ça qu'on appelle des couteaux c'est vraiment des couteaux !

Ce fut ensuite au tour de Carmen de feuilleter l'ouvrage. Le sèche-linge électrique, ou sécheuse, retint son attention. Elle s'arrêta sur quelques autres appareils domestiques.

— Ouaïe…

Puis, tournant une bonne épaisseur de pages, elle tomba sur les articles de bureau, qu'elle examina attentivement. Posant le doigt sur un article, elle s'exclama :

— C'est ça que je voulais ! Un *clamp binder !* Je savais pas même comment-ce ça s'appelait en anglais !

Terry tira un peu le dictionnaire vers lui, pour voir. Carmen lui montra l'article.

— Reliure à pince. Je sais. C'est ça qu'est *great.* Toutes les affaires qu'on savait pas les noms de. Pis moi c'est les couleurs, les dessins !

Ils feuilletèrent encore le dictionnaire sans trop lire, juste pour voir. Ensuite, Carmen ferma le volume pour en regarder la couverture, après quoi elle posa le regard sur les autres volumes qui garnissaient l'étagère.

— C'est vraiment un beau cadeau…

Terry soupira d'aise intérieurement.

* * *

Chez les Zablonski, la soirée prenait des allures de fête.

— Les Accidents de Moncton! De la *way* que t'as dit ça, j'ai comme vu une équipe de hockey *sponsorée* par une compagnie d'assurances.

Zed n'avait pas trouvé le mot français pour *sponsorée*, en resta un peu agacé. La dispute de Terry et Carmen l'avait affecté. D'habitude, même s'il ne disait pas le mot français, au moins il le connaissait.

Pomme poursuivit sur sa lancée :

— Non, ben, c'est vrai. On dirait que j'ai des photos déjà toutes faites dans ma tête. La porte qui s'ouvre, une femme qui sort à moitié pliée, le devant du char à moitié *mashé*. Ou ben le gros transport à moitié *tippé* sous le pont de la rue Main. Tout' est comme à moitié. Cayouche a ben fait d'appeler son CD *Moitié-moitié. Although* que je sais pas si ç'a un rapport.

Étienne et Ludmilla n'avaient qu'à absorber.

— Moi, c'est de me couper les ongles d'orteils. La journée que je le fais, même si je fais rien d'autre, j'ai fait beaucoup.

— Y sont-ti si épais que ça?

Zed avait simplement voulu faire une blague. Il ne s'attendait pas à ce que Lisa-M. réponde.

— Non. Je sais pas à cause. C'est juste de même.

Zed y pensa donc sérieusement un instant.

— Ça doit s'être animal… comme, tu serais vraiment en train de perdre de quoi.

Lisa-M. regarda Zed d'un air interrogateur.

— *Anyways*, t'as de quoi avec le corps, toi. C'est *obvious* juste dans la manière que tu danses. Pis avais-tu pas de la misère à te brosser les dents?

— Terry t'a dit ça?

* * *

— Sais-tu à quoi c'que j'ai pensé aujourd'hui?

Lionel Arsenault aimait toujours entendre ce à quoi sa femme avait pensé.

— Qu'on devrait s'acheter un des *lofts*.

La perspective fit rire Lionel. Sylvia ne s'en offusqua pas.

— Je sais que ça sonne fou…

Lionel trouvait surtout l'idée surprenante. Depuis le début du projet, il n'avait jamais envisagé que Sylvia et lui y vivraient.

— J'aimerais ça vivre en ville des fois. Peut-être suivre des cours à l'université…

— On n'a pas besoin de déménager en ville pour ça.

— Je sais.

Sylvia ajusta l'oreiller et se blottit contre l'épaule de son mari.

— Quelle sorte de cours?

— Je sais pas. La photo, ça m'intéresse.

— Vraiment?

— Y'a de quoi pour le français aussi. De la manière que les mots tiennent tout' ensemble.

— Vraiment!

* * *

Pomme était drôle à voir et à entendre. Même Zed et Lisa-M. ne l'avaient jamais vu tout à fait sous cet angle.

— Moi je crois qu'on n'est pas vraiment prêts pour l'art. On sait pas vraiment comment approcher ça. Y'a de quoi qui manque. Tu peux avoir tous les musées que tu veux, y'a de quoi qui manque.

— ...

— C'est plein de contradictions. *In fact*, c'est comme une addiction. C'est pas ça que le monde croit que c'est. Le monde croit qu'une addiction c'est une addiction. *But in fact*, c'est un neutralisant. Contradiction/neutraddiction. *Get it?*

Pomme se versa un autre verre de vin.

— *Mindez*-moi pas.

Puis il regarda l'étiquette de la bouteille.

— Vraiment, c'est pas mal du bon vin cecitte.

* * *

— Je voyais les *lofts* comme une place pour aider les artistes. Pas pour du monde riche, qui voulont juste...

169

Lionel Arsenault se rendit compte que ce qu'il allait dire pourrait blesser sa femme.

— Si c'était plus grand, y'aurait de la place pour toute sorte de monde. Comme c'est là...

— Je voudrais pas de quoi de grand...

— ...

— Même que je voudrais que ça soit petit. Juste un petit coin en ville. Pis pour la photo, ça serait pas compliqué. Tout' se fait à l'ordinateur asteure.

L'homme d'affaires essaya d'imaginer Sylvia menant une vie de bohème — une bohème technologique par-dessus le marché.

Sylvia ne tenait pas à discuter de long en large de l'idée qui lui était venue, et qui était peut-être déjà un projet.

— J'aime assez comment c'que Ludmilla parle. À dit des mots comme aiguillonner, ricochet.

Lionel Arsenault sentit le mot ricocher dans sa tête.

— C'est vrai que c'est beau, ricochet.

Et il s'endormit sur l'effet que produisait ce mot.

* * *

— Carmen !

Zed était surpris et ravi de revoir Carmen. Il la serra fort dans ses bras, sentit son ventre tout en rondeur.

— Comment c'que vous saviez qu'on était icitte ?

— Ben, t'étais pas chez vous, ni à l'Osmose… Ça fait qu'on a passé icitte, pis là on a vu ton camion.

Terry avait senti le mot troque lui monter à la gorge mais il avait pu le remplacer à temps.

— Pomme pis Lisa-M. sont en haut.

Terry se doutait que Pomme avait déjà rencontré Zablonski pour lui parler de l'article.

— Pis ? Quoi c'que Zablonski a dit ?

— Je sais pas trop. Pomme le fait rire on dirait. Venez !

Zed avait le bras tendu pour leur indiquer le chemin. Carmen l'attrapa.

— Je voulais te dire… Merci pour les dictionnaires.

— Awh… C'est rien.

— Non. C'est vraiment un beau cadeau.

En disant cela, Carmen avait attiré Zed un peu plus vers elle et lui avait déposé un baiser sur la joue. Voyant cela, Terry en fit autant, sur l'autre joue.

* * *

Cette nuit-là, Lionel Arsenault rêva qu'il attendait quelqu'un pour un rendez-vous d'affaires dans un restaurant du Vieux Carré de la Nouvelle-Orléans. C'était comme s'il connaissait bien toute la ville, même s'il n'y vivait pas. On le servait d'ailleurs avec un mélange d'empressement et de détente, comme s'il était un habitué. Mais en fin de compte, au lieu des gens d'affaires qu'il attendait, c'est Sylvia, coiffée d'un chapeau des plantations, qui se présenta. Lionel était doublement surpris.

— T'as acheté un chapeau?

Sylvia haussa tout bonnement les épaules:

— Je tuais le temps.

La réponse de Sylvia l'ébranla. Le ton ne charriait aucun reproche, mais l'expression lui parut brutale et lourde de sens tout à coup.

— Vraiment? C'est la première fois que je t'entends dire ça.

Sylvia avait ri.

— C'est la première fois que j'achète des petits cigares aussi. En veux-tu un?

* * *

— Comme… quoi c'qui serait arrivé si Hitler avait été accepté à l'École des beaux-arts? Pis *how come* qu'y'a pas été accepté? Qui c'est qui décide de l'art? du talent?

Personne, ni Zed, ni Terry, ni Carmen, ni Lisa-M., n'avait jamais vu Pomme dans un tel état. Il lançait ses questions en l'air sans attendre qu'elles retombent. Même Étienne et Ludmilla semblaient prendre plaisir à les voir là, suspendues.

— Pis moi je vois pas comment c'que l'art peut communiquer universellement. *Anyways*, toute l'idée de communiquer, même ça, ça fait pas trop de bon sens. Moi je crois que la communication est *overatée*. L'art parle à l'art. C'est comme les livres. Y se répondont les uns aux autres.

— …

Terry essaya d'imaginer de quelle façon les livres se parlaient entre eux.

Pomme savait qu'il parlait un peu à tort et à travers, mais un peu seulement.

— Y parlont de l'émotion artistique, c'est-ti une émotion éduquée or *what*! Moi je crois que quatre-vingt-dix pour cent du temps y'a rien de naturel là-dedans. Pis là je suis généreux.

Suivit un bref silence que personne n'eut le temps de briser avant que Pomme n'y aille d'une sorte de conclusion.

— Moi, je voudrais être le Léo Castelli de l'Acadie! Ou son assistant, *at least*…

Tout compte fait, Zed trouva que Pomme était en très grande forme et décida qu'il méritait un toast.

— Léo Castelli… *sounds good to me!*

Les autres suivirent le mouvement de bon cœur. En levant son verre, Terry se rendit compte que la divination d'«Avant l'accomplissement» allait de soi.

Puis Ludmilla demanda à Terry des nouvelles du petit Étienne.

— La femme d'en bas… ça y faisait rien de venir dormir chez nous. A l'a déjà fait une couple de fois.

— C'est gentil.

— Awh… on la paye. Ben c'est *nice* pareil. Je veux dire, ça nous aide. Vraiment.

Nice… le mot était sorti tout seul. Mais Terry l'avait dit presque du bout des lèvres. Mieux encore, il avait évité de dire que la femme ne *mindait* pas. Il se tourna vers Carmen, un peu penaud.

— Faut que je m'accoutume.

— Ben sûr. Moi aussi faut que j'y pense des fois.

40. La libération

— Je me fie de travailler sus la Petitcodiac jusqu'à la fin du mois d'août. D'habitude y laissont du monde aller dans ce temps-là.

Le père de Terry regardait son fils, étonné de voir à quel point il était différent de ses autres enfants. C'était vrai qu'il était le plus jeune.

— Au commencement, Carmen pis moi on pensait qu'on travaillerait ensemble dans le *bar*. Ben après on a pensé que de c'te manière-icitte, ça serait encore mieux.

Le père de Terry écoutait. Des questions non formulées — si ça se pouvait — se bousculaient dans sa tête. Finalement, les mots s'alignèrent.

— Ben… une librairie, comme tu dis… connais-tu ça?

— Pas sitant que ça, ben, je me dis qu'avec Ludmilla… je veux dire, à nous deux, je suis sûr qu'on va être capables.

— …

— On n'aura pas besoin de payer de rente la première année, parce qu'on va rester dans la bâtisse.

C'est une manière de nous encourager. C'est une sorte de *co-op*, je t'avais-ti dit?

— ...

— Carmen, yelle, va travailler avec Josse. A travaille déjà avec, ben là ça va être vraiment à zeux la *business*.

— ...

— Y'avont pas mal des bonnes idées.

— ...

— Pis je sais pas si tu te rappelles de Pomme.

— ?

— En tout cas, lui pis Zablonski allont rouvrir une galerie d'art. Pis y va avoir un restaurant, pis une couple de magasins. Ça commence à tomber en place.

— ...

— T'as pas besoin de me prêter l'argent directement. Tu pourrais juste signer pour moi à la banque.

— ...

— Le pére à Carmen a dit qu'y signerait pour nous deux, ben j'aimerais ça que de quoi vienne de notre bord aussi. Ça fait plusse égal.

* * *

Il y avait bien longtemps que Lionel Arsenault n'avait pris une journée de congé simplement pour flâner à la maison. Sa décision avait même surpris Sylvia.

— J'aurais envie de nous faire un bon souper. On pourrait peut-être inviter du monde.

Dans l'esprit de Sylvia, en plein mardi, cela avait quelque chose d'insolite.

Après avoir fouillé dans les livres de recettes, Lionel Arsenault avait proposé soit une paëlla, soit un pâté aux palourdes de dune, sa spécialité.

— C'est comme tu veux. J'aime autant un que l'autre.

— Ça dépendra de quoi c'que je trouverai sus Melanson. J'irai tantôt.

Sylvia n'avait pas encore terminé son petit ménage. Elle se demandait si elle devait s'interrompre pour lancer des invitations.

— Qui c'que t'aimerais qu'on invite?

Lionel acheva de lire un article du journal avant de répondre, en tournant la page.

— Je sais pas trop… Ça fait longtemps qu'on n'a pas vu les voisins me semble.

* * *

— Je savais du commencement qu'y'allait dire oui. C'est juste sa manière d'écouter qu'y était comme… je sais pas… on dirait qu'y'avait de quoi d'autre qui se passait dans sa tête.

— …

— Comme si y'écoutait pis qu'y pensait à de quoi d'autre en même temps. Ben, pas juste à n'importe quoi d'autre…

— T'aurais dû y demander si ça te dérange sitant que ça.

— Je savais pas que ç'allait me déranger. Pis déranger, c'est beaucoup dire. Ça m'intrigue plusse que ça me dérange.

Carmen éprouva du plaisir à entendre Terry utiliser le verbe intriguer, mais, occupé à retirer le sifflet de la bouche du petit, Terry ne s'en rendit pas compte.

— À quel âge qu'un enfant apprend à subler dans un sublet, *anyways*?

— Je sais pas, ben c'est rien qui presse tant qu'à moi.

Terry fit faire au-galop-au-galop à Étienne pour combler le vide du sifflet, pendant que Carmen achevait de préparer le souper.

— Tu devrais y demander des conseils à ton pére. Après tout', y'a eu sa *business* toute sa vie. Y'aura peut-être de quoi à t'apprendre. Pis tu pourras peut-être plusse saouère quoi c'qu'y pense vraiment.

Terry y songea un moment.

— Je suis pas sûr que je veux saouère quoi c'est qu'y pense vraiment.

Carmen ouvrit la porte du four et y glissa la lasagne enfin prête à cuire.

— Toi, ça te fait-ti peur, tout' ça qui nous attend?

— Des fois.

Carmen s'appuya les fesses contre le comptoir un moment, croisa les mains sur son gros ventre et s'expliqua.

— Ben, pour dire le vrai, le plus souvent je trouve ça excitant. Je sais pas quoi c'qu'y se passe dernièrement — c'est peut-être toute l'affaire des *lofts* pis ça — ben je nous sens pas tout seuls. Awh, y'aura tout le temps des petits problèmes, cecitte ou ça. Ben je vois pus vraiment ça comme des problèmes.

Puis, comme étonnée d'elle-même, elle ajouta sur un ton pensif :

— Hmm !

Terry était admiratif. Il resta silencieux jusqu'à ce qu'ils se retrouvent à table.

— T'as raison. Je vas y demander à Pape quoi c'qu'y pense vraiment.

— Je vais.

Et Terry répéta :

— Je vais.

— …

— Ben avoue, honnêtement, y'a des fautes qui faisont yinque du bon sens ! Je vais, tu vas, il va. C'est pas si ben pensé que ça. Aujourd'hui, quelqu'un en *marketing* perdrait sa job si y suggérait de quoi de même !

* * *

— On dit que c'est une galerie d'art, *but* c'est pas vraiment ça. Ça dépasse ça. *In fact*, la galerie c'est minime dans tout' l'affaire.

Il n'y avait pas longtemps que Lisa-M. fréquentait Pomme, mais elle ne se gênait pas pour autant.

— Moi je crois que vous êtes en *denial*.

Pomme le prit avec humour.

— Vois-tu, l'idée, c'est pas de vendre, ni même de montrer. Ça c'est le premier niveau. Pis c'est pas non plus de refaire Duchamp, pis encore moins Warhol. Ça c'est le deuxième niveau. Le réseau pis tout' ça. Nous autres on cherche le troisième, peut-être même le quatrième niveau.

Lisa-M. avait aussi un côté pratique.

— Ben, à cause?

La question surprit Pomme. Lisa-M. se reprit.

— Je sais pas pourquoi c'que vous vous donnez sitant de misère… le monde aime encore les impressionnistes.

Pomme lui donna raison.

— Ben, c'est que… le troisième niveau — appelons ça de même — y'est proche. Proche proche. Y'est dans l'air. On peut pas encore le voir, ben y va se montrer avant longtemps. Ça peut pas faire autre.

La conviction de Pomme impressionna Lisa-M., qui gardait néanmoins quelques doutes.

— Pis tu crois qu'y va se montrer icitte? À Moncton?

La question arrivait à point pour Pomme, qui put enfin exprimer ce qu'il pensait vraiment.

— C'est ça que je crois.

C'était sans équivoque.

— ...

— ...

— Pis Zablonski croit ça lui aussi?

— Zablonski travaille sus des nouvelles affaires. J'y'en demande pas plusse pour asteure.

* * *

Le petit Étienne était à peine sorti avec sa grand-mère Després que Terry se rua sur la balayeuse — un aspirateur-traîneau! — et entreprit un sérieux nettoyage de l'appartement, pas tout à fait un grand ménage du printemps comme on l'entend habituellement, mais au moins un bon ménage de fin d'hiver. Ainsi, il déplaçait plus de choses que d'habitude en promenant le suceur —?! —, rangeant dans des boîtes les objets qui n'étaient plus très utiles et qui, à coup sûr, ne survivraient pas au déménagement dans le loft. Il travaillait avec la même énergie joyeuse que la lumière du soleil et l'air frais du printemps mettaient à entrer par les fenêtres grandes ouvertes du logement. La confiance de Carmen lui donnait de l'élan, sans parler de sa toute dernière divination au Yi King, qui laissait présager la libération, rien de moins, et sans aucune nuance.

L'hexagramme 40 parlait justement d'une énergie nouvelle, d'une délivrance, d'une situation des plus fortunées, d'une concordance absolue des forces de l'univers. En d'autres mots, jamais la Voie n'avait été aussi ouverte. Selon le manuel français — souvent plus passionné que les autres, Terry devait l'admettre —, il s'agissait de l'hexagramme de l'apogée, du final dramatique, de la situation héroïque et de la délivrance miraculeuse.

Terry promenait justement le suceur à tapis près de la commode quand son coude fit culbuter le petit bol contenant les billes de divination. Il éteignit alors l'appareil, le temps de récupérer les billes et de mettre de l'ordre sur le meuble. Lorsqu'il les compta, pour s'assurer qu'il les avait toutes retrouvées, Terry s'aperçut qu'il y en avait dix-sept au lieu de seize. Il les recompta, fouilla ses livres pour vérifier. Non, il n'y avait pas d'erreur, depuis le début il avait travaillé avec une bille en trop.

* * *

Le père de Zed avait décroché un modeste contrat dans les travaux aux lofts. Zed le regardait travailler.

— Faudra que ça seille *checké* souvent. Une vieille bâtisse de même, y'a tout le temps des affaires qui pouvont larguer aller.

Zed acquiesça.

Son père laissa tomber un outil, en ramassa un autre.

— Ben… Ça durera le temps que ça durera.

— …

— Les grosses cathédrales pis les vieux châteaux en Europe, ça doit coûter des fortunes pour garder ça debout'. Je me demande qui c'est ben qui paye pour ça.

— …

— Tu vois, c'te joint-là. C'est pas vraiment de même que ça devrait être fait. Ç'aurait dû virer par icitte, pis monter par là. *But* c'est le mieux qu'y pouviont faire à cause de c'te *pipe*-là.

— …

— Même-ti, c'est solide. Ça devrait tcheindre.

— …

— Des fois, même si c'est pas tout à fait *by the book*, ça marche ben pareil.

— …

— As-tu choisi ton *loft*, toi?

— Pas encore. J'attends plusse vers la fin. Je prendrai dans quoi c'qu'y restera.

Le père leva un œil soupçonneux vers Zed tout en travaillant.

— C'est toi qui sais. Des fois, y'a rien de *wrong* avec les restants.

* * *

Terry n'avait pas pu s'empêcher de téléphoner à Carmen pour lui parler de la bille en trop.

— Non ben, je peux pas croire! Toute la base de l'affaire était *off* du commencement!

Comme c'était un cas de force majeure, Terry ne fit pas d'effort pour éviter les mots anglais.

Carmen, elle, avait d'autres préoccupations.

— Le gars de Moosehead est icitte. Je voulais y parler de notre *bar*. Pourras-tu tout' m'expliquer ça de souère?

Terry ne se sentit pas offensé.

— Pas de problème. *Anyways*, je figure que ça va me prendre des semaines à comprendre quoi c'que ça veut dire.

* * *

Il fait clair de plus en plus tard le soir dans le logement de fortune d'Étienne et Ludmilla Zablonski. Assis près d'une fenêtre, Étienne dessine sur un bout de carton trouvé là par hasard. Ce gribouillage l'absorbe plus que de coutume. Des lignes s'ajoutent, partent dans tous les sens, mais un certain ordre règne malgré tout. Cela danse.

— Étienne?

— Oui?

Ayant repéré son mari dans ce lieu aux définitions changeantes — selon les travaux du moment —, Ludmilla s'approche, s'arrête derrière lui.

— Qu'est-ce que tu fais ?

Étienne lui montre le dessin.

— Pourquoi ?

— Pour rien. Comme ça. Je me demandais ce que tu faisais. Tu n'avais pas l'air de lire.

* * *

Terry lavait la vaisselle, Carmen l'essuyait.

— C'est comme si deux différentes clés pouvaient débarrer la même porte.

Carmen ne trouvait pas cette perspective particulièrement surprenante.

— Ben, un passe-partout peut rouvrir différentes portes. C'est quasiment pareil.

Terry poussa son raisonnement à l'extrême.

— Pas si c'est la porte de deux différentes autos, pis qu'une marche bien, pis l'autre va manquer de *brakes*.

— De freins.

— De freins.

Terry s'astreignait à récurer le plat de lasagne deux fois réchauffée. Il se rendait compte que son raisonnement n'était pas clair. Pourtant, il avait bel et bien l'impression d'entrevoir de nouvelles couches de réalité.

— O.K. Disons que c'est comme si que t'écoutais deux différents CD. Disons un Dylan pis un Cohen.

Pis que les deux disques te mettiont exactement dans la même *mood*.

Carmen était patiente, mais elle espérait quand même que cette histoire ne durerait pas toute la soirée.

— Si c'est ça, je dirais que ta *mood* dépend pas des disques. Qu'a dépend surtout de toi.

Terry, lâchant le plat de verre, s'exclama en levant les deux mains :

— C'est ça ! C'est exactement ça ! C'est ça que je vois, ben je le comprends pas comme avant.

— Quand même, une *mood* — faudrait dire une humeur, je crois ben —, c'est pas de quoi de fixe. C'est dur de comparer ça à une auto.

— Justement, y'a ça aussi. La réalité non plus est pas fixe. *In fact*, je commence à croire que la réalité — ça qu'on appelle la réalité — existe pas. C'est tout' de quoi d'autre.

— Qui serait quoi ?

Terry récupéra le plat qui avait coulé au fond de l'évier.

— C'est ça la grande question.

— …

— …

— …

En fin de compte, Terry se sentit incapable d'en dire plus. Il imaginait la grande question s'amusant à jouer à cache-cache derrière les nuages, décida de la laisser faire.

Plus tard, au lit, après quelques minces et vaines tentatives d'accorder leur yin et leur yang, Terry et

Carmen restèrent allongés dans les bras l'un de l'autre.

— C'est pas grave, vraiment. C'est yinque un… comment c'qu'on dit *yield* en français, encore?

— Cédez.

— C'est yinque un cédez. Ben on finit par *merger* pareil. Comment c'qu'on dit *merger, then*?

Carmen n'en était pas certaine.

— Tu me feras penser de regarder c'te mot-là demain.

Carmen était sur le point de s'endormir.

— Je t'aime vraiment à mort, tu sais.

Au lieu de parler, Carmen lui serra l'avant-bras un peu longtemps. Pour Terry, c'était une bonne réponse.

Table des matières

Ce livre a été imprimé sur du papier 100 % postconsommation,
traité sans chlore, certifié ÉcoLogo
et fabriqué dans une usine fonctionnant au biogaz.

ACHEVÉ D'IMPRIMER EN 2022
SUR LES PRESSES DE L'IMPRIMERIE GAUVIN
À GATINEAU (QUÉBEC).